Françoise Vergès

Un féminisme
décolonial

La fabrique
éditions

© La Fabrique éditions, 2019

ISBN : 9782358721745

La Fabrique éditions
64, rue Rébeval
75019 Paris
lafabrique@lafabrique.fr
www.lafabrique.fr
Diffusion : Les Belles Lettres

Sommaire

Invisibles, elles « ouvrent la ville »

Ayons les femmes, le reste suivra.
Frantz Fanon[1]

Mais extérioriser la colère, la transformer en action au service de notre vision et de notre futur, est un acte de clarification qui nous libère et nous donne de la force, car c'est par ce processus douloureux de mise en pratique que nous identifions qui sont les allié•e•s avec lesquel-le-s nous avons de sérieuses divergences, et qui sont nos véritables ennemi•e•s.
Audre Lorde[2]

En janvier 2018, après quarante-cinq jours de grève, des femmes racisées, travaillant à la gare du Nord, remportent victoire contre leur employeur, la compagnie de nettoyage Onet qui sous-traite pour la SNCF[3]. Ces ouvrières qui font partie d'une force de travail racisée et en grande majorité féminine, exerçant des métiers sous-qualifiés et donc sous-payés, travaillent au péril de leur santé, le plus souvent à temps partiel, à l'aube ou le soir quand

7

les bureaux, hôpitaux, universités, centres com-
merciaux, aéroports et gares se sont vidés et, dans
les chambres d'hôtel quand les client•e•s sont par-
ti•e•s. Nettoyer le monde, des milliards de femmes
s'en chargent chaque jour, inlassablement. Sans
leur travail, des millions d'employés et agents du
capital, de l'État, de l'armée, des institutions culturelles, artistiques, scientifiques, ne pourraient pas
occuper leurs bureaux, manger dans leurs cantines,
tenir leurs réunions, prendre leurs décisions dans
des espaces propres où corbeilles à papier, tables,
chaises, fauteuils, sols, toilettes, restaurants ont
été nettoyés et mis à leur disposition. Ce travail
indispensable au fonctionnement de toute société
doit rester *invisible*. Il ne faut pas que nous soyons
conscient•e•s que le monde où nous circulons est
nettoyé par des femmes racisées et surexploitées.
D'une part, ce travail est considéré comme rele-
vant de ce que les femmes doivent accomplir (sans
se plaindre) depuis des siècles – le travail féminin
de soin et de nettoyage constitue un travail gratuit. D'autre part, le capitalisme fabrique inévitablement du travail invisible et des vies jetables.
L'industrie du nettoyage est une industrie dangereuse pour la santé, partout et pour toutes celles et
tous ceux qui y travaillent. Sur ces vies précarisées,
usantes pour le corps, ces vies mises en danger,
repose celle, confortable, des classes moyennes et
le monde des puissants.

La victoire des ouvrières de la gare du Nord est significative parce qu'elle met en lumière l'existence d'une industrie où se combinent racialisation, féminisation, exploitation, mise en danger de la santé, invisibilité, sous-qualification, bas salaires, violence et harcèlement sexuels et sexistes. Pourtant, en janvier 2018, ce qui fait la première page des médias en France et ailleurs, provoque débats et controverses, pétitions et contre-pétitions, est la tribune signée par un collectif de cent femmes, dont Catherine Millet, Ingrid Caven et Catherine Deneuve, dénonçant la « haine des hommes » au sein du féminisme[4]. Les signataires fustigent les campagnes #Balancetonporc et #Metoo – à l'occasion desquelles des femmes dénoncent des hommes qui les ont sexuellement harcelées –, les accusant de constituer une « campagne de délations », de « justice expéditive » puisque des hommes auraient été « sanctionnés dans l'exercice de leur métier, contraints à la démission, etc., alors qu'ils n'ont eu pour seul tort que d'avoir touché un genou, tenté de voler un baiser, parlé de choses "intimes" lors d'un dîner professionnel ou d'avoir envoyé des messages à connotation sexuelle à une femme chez qui l'attirance n'était pas réciproque ». Elles évoquent une « vague purificatoire »[5]. Que cette tribune ait retenu l'attention n'est pas surprenant. La vie confortable des femmes de la bourgeoisie dans le monde est possible parce que des millions de femmes racisées et exploitées entretiennent ce confort en fabriquant leurs vêtements, en nettoyant leurs maisons et les bureaux où elles travaillent, en s'occupant de leurs enfants, en prenant soin des besoins sexuels de leurs maris, frères, compagnons. Elles ont dès lors tout le loisir de discuter du bien-fondé ou pas d'être « importunées » dans le métro ou d'aspirer à devenir dirigeante d'une grande entreprise. Certes, des hommes profitent aussi de la division Nord/Sud et d'autres hommes sont mis dans la situation de les entretenir, mais si j'insiste sur le rôle des femmes du Sud global dans cette organisation du monde, c'est pour souligner d'autant plus son caractère révolutionnaire dans la critique du capitalisme racial et de l'hétéropatriarcat.

I. Définir un camp : le féminisme décolonial

Le retournement qui fait du féminisme longtemps décrié par des idéologies de droite un de leurs fers de lance mérite d'être analysé. Qu'est-ce qui se joue dans ce déploiement idéologique ? Comment s'est opéré ce glissement ? Comment sommes-nous passées d'un féminisme ambivalent ou indifférent à la question raciale et coloniale dans le monde de langue française à un féminisme blanc et impérialiste ? De quoi le fémonationalisme est-il le nom ? Comment le féminisme est-il devenu, dans une convergence notable, un des piliers de plusieurs idéologies qui, à première vue, s'opposent – l'idéologie libérale, l'idéologie nationaliste-xénophobe, l'idéologie d'extrême droite ? Comment les droits des femmes sont-ils devenus une des cartes maîtresses de l'État et de l'impérialisme, un des derniers recours du néolibéralisme, et le fer de lance de la mission civilisatrice féministe blanche et bourgeoise ? Ce féminisme et les courants nationalistes xénophobes ne proclament pas une communauté d'objectifs mais partagent des *points de convergence* et ce sont ces derniers qui nous intéressent ici[6].

Un féminisme décolonial

Cet ouvrage se situe dans la continuité des ouvrages critiques des féministes du Sud global et de leurs alliées au Nord sur le genre, le féminisme, les luttes de femmes et la critique d'un féminisme que j'appelle civilisationnel parce qu'il a entrepris la mission d'imposer au nom d'une idéologie des droits des femmes une pensée unique qui contribue à la perpétuation d'une domination de classe, de genre et de race. J'y défends un féminisme décolonial ayant pour objectif la destruction du racisme, du capitalisme et de l'impérialisme, programme auquel j'essaierai de donner une dimension concrète.

« Le féminisme va bien au-delà de l'égalité de genre et il dépasse largement la question du genre[7] », rappelle Angela Davis. Il dépasse aussi la catégorie « femmes » fondée sur un déterminisme biologique et redonne à la notion de droits des femmes une dimension de politique radicale : prendre en compte les défis posés à une humanité menacée de disparition. Je me positionne contre une temporalité qui décrit la libération seulement en termes de « victoire » unilatérale sur la réaction. Une telle perspective fait montre d'une « immense condescendance de la postérité[8] » à l'égard des vaincu•e•s. Cette écriture de l'histoire fait du récit des luttes des opprimé•e•s celui de défaites successives et impose une linéarité où tout recul est vécu comme une preuve que le combat a été mal mené (ce qui est bien sûr possible)

12

lutte ≠ victoire forgets
sacrifice

capitalism
imperialism
racism
sexism
:

et non comme mettant au jour la détermination des forces réactionnaires et impérialistes à écraser toute dissidence. C'est ce que les chants de lutte – negro spirituals, chants révolutionnaires, gospels, chants des esclaves, des colonisé•e•s – racontent : la longue route vers la liberté, une lutte sans trêve, la révolution comme travail quotidien. C'est dans cette temporalité que je situe le féminisme de politique décoloniale.

Se réclamer encore du féminisme

Le terme de « féministe » n'est pas toujours facile à porter. Les trahisons du féminisme occidental constituent un repoussoir, au même titre que son âpre désir d'intégrer le monde capitaliste et d'avoir sa place dans le monde des hommes prédateurs, que son obsession autour de la sexualité des hommes racisés et de la victimisation des femmes racisées. Pourquoi se dire féministe, pourquoi défendre le féminisme, quand ces termes sont tellement galvaudés que même l'extrême droite peut se les approprier ? Que faire quand, alors qu'il y a dix ans les mots « féministe » et « féminisme » portaient encore un potentiel radical et étaient jetés comme des insultes, ils font désormais partie de l'arsenal de la droite néolibérale modernisatrice ? Quand, en France, une ministre peut organiser une « Université du féminisme » où le public majoritairement féminin et se disant

13

féministe hue une jeune femme voilée mais laisse un homme leur faire la leçon pendant 25 mn (des protestations sont sagement apparues sur Twitter[9]) ? De quel féminisme est-il question quand il devient une entreprise de pacification ? Si féminisme et féministes sont au service du capital, de l'État et de l'Empire, est-il encore possible de leur redonner le souffle d'un mouvement qui porte les objectifs de justice sociale, de dignité, de respect, de politiques de la vie contre les politiques de la mort ? Mais ne faut-il pas aussi défendre le féminisme devant les assauts de forces fascisantes ? Quand le viol et le meurtre sont devenus des armes maîtresses pour discipliner les femmes ? Quand même être une femme blonde, mère de famille, mariée à un homme, professeure à l'université, conforme à toutes les normes de la respectabilité de la classe moyenne blanche aux États-Unis, ne protège pas contre un déchaînement de haine comme on a pu le voir avec l'audition de Christine Blasey Ford lors des débats sur la nomination de Brett Kavanaugh à la Cour suprême ? Ou que des gouvernements à travers le monde font du féminisme une idéologie antinationale, étrangère à « la culture de la nation », pour mieux réprimer les femmes ? Longtemps je ne me suis pas dite féministe, je me disais militante anticoloniale et antiraciste dans les mouvements de libération des femmes. J'ai été amenée à me dire féministe, d'une part en raison de l'émergence d'un féminisme de politique décolonial large, transnational, pluriel, d'autre part du fait de la captation des luttes de femmes par le féminisme civilisationnel.

Une trajectoire anticoloniale

La biographie n'explique pas tout, et assez souvent d'ailleurs pas grand-chose, mais je me dois dans un livre sur le féminisme de dire quelque chose de ma propre trajectoire – non qu'elle soit exemplaire, mais parce que les luttes des femmes y ont joué un grand rôle. J'ai été pendant plusieurs années militante dans des groupes du MLF ; ces luttes ont toujours été liées à des projets de libération plus générale – en l'occurrence, dans mon expérience, la libération du colonialisme français post-1962. Le socle sur lequel se sont bâtis mon intérêt, ma curiosité et mon engagement pour les luttes émancipatrices réside dans l'éducation politique et culturelle dont j'ai bénéficié à l'île de La Réunion. Pour la petite fille que j'étais, élevée dans un contexte où l'école, les médias, les activités culturelles étaient toutes soumises à l'ordre colonial français post-1962, cette expérience fut exceptionnellement transnationale. Longtemps, je ne me suis pas dite militante féministe, mais « militante de la libération des femmes ». J'ai eu le privilège de grandir dans une famille de communistes féministes et anticolonialistes, d'être entourée de militant•e•s de toute origine, genre et classe sociale qui m'ont éclairée sur ce que sont la lutte et la solidarité, la joie et la gaîté associées à la lutte collective. À la forme d'idéalisme qui ne supportait pas la défaite et qui était la mienne adolescente, la réponse de mes parents me ramenait sur terre : « Ce sont des brutes, des fascistes, des crapules, il ne faut rien en attendre. Ils ne respectent aucun droit, en premier le droit à notre existence. » Rien de défaitiste dans ces remarques, mais plutôt une leçon sur une autre temporalité des luttes : les images de la prise du Palais d'hiver, de l'entrée des troupes de Castro à La Havane, des troupes de l'ALN dans Alger étaient de formidables images à même de mobiliser l'imagination, mais à s'y arrêter on risquait de vivre des lendemains qui déchantent. Demain la lutte continuerait. J'ai aussi appris très tôt que si l'État veut écraser un mouvement, il a recours à tous les moyens, à toutes les ressources qui sont à sa disposition d'une part pour réprimer, d'autre part pour diviser les opprimé•e•s. D'une main il frappe, de l'autre il cherche à assimiler. La peur est une de ses armes favorites pour produire conformisme et consentement. J'ai rapidement compris le prix à payer pour se permettre d'échapper à l'injonction : « Ne te fais pas remarquer, ne proteste pas trop, et tu n'auras pas d'ennui. » L'ordonnance Debré en 1960 en a fait la démonstration : en frappant d'exil treize militants anticolonialistes, dont des dirigeants syndicaux, le message était clair, toute voix dissidente serait punie[10]. L'historien réunionnais Prosper Ève a parlé de *L'Île à peur* pour analyser comment l'esclavagisme, le post-esclavagisme puis le postcolonial ont, jusqu'aux années 1960, diffusé la peur comme technique de discipline[11]. La peur n'est certes pas exclusive au dispositif colonial, mais rappelons que l'esclavage colonial était fondé sur la constante menace de la torture et de la mort d'un être humain transformé légalement en objet, et du spectacle public de sa mise à mort. J'ai également appris qu'il faut utiliser les lois de l'État contre lui mais sans illusion ni idéalisme, comme l'avaient compris les femmes esclaves qui se battaient pour faire reconnaître par la loi le statut de libre qu'elles transmettaient à leurs enfants[12], ou encore les colonisé•e•s qui retournaient contre l'État colonial ses propres lois (liberté de la presse, liberté d'association, droit de vote…). Cette stratégie n'était jamais la seule, elle s'accompagnait toujours d'une critique de l'État et de ses institutions. Les luttes se jouent sur de multiples terrains et pour des objectifs visant différentes temporalités. L'existence d'un vaste monde où résistances et refus de la soumission s'opposent à un ordre mondial injuste a fait partie de la compréhension du monde qui m'a été transmise. Je n'ai donc pas découvert en arrivant en France ou en allant à l'université que capitalisme, racisme, sexisme et impérialisme sont des compagnons de route et je n'ai pas rencontré le féminisme anticolonial et antiraciste en lisant Simone de Beauvoir : il a fait partie de mon environnement dès la petite enfance.

La fausse innocence du féminisme blanc

À la suite de Frantz Fanon, qui écrivait : « l'Europe est littéralement la création du Tiers-Monde » car elle s'est construite sur le pillage des richesses du monde et que dès lors « la richesse des pays impérialistes est aussi notre richesse »[13], je peux dire que la France est littéralement une création de son empire colonial, et le Nord une création du Sud. Je reste donc étonnée par l'entêtement à oublier l'esclavage, le colonialisme et les « outre-mer » dans l'analyse de la France actuelle et de la politique des gouvernements successifs depuis les années 1950. Plus encore que l'empire colonial, les « outre-mer » ne font pas partie de l'histoire contemporaine : aucun texte sur les questions politiques, qu'elles soient abordées de manière philosophique, économique, ou sociologique, ne s'intéresse à ces survivances de l'empire colonial français. Il y a là quelque chose qui relève d'une volonté d'effacer ces peuples et leurs pays de l'analyse des conflits, des contradictions et des résistances. Quel est le but d'un tel refoulement, si ce n'est de maintenir l'idée que tout cela – esclavage, colonialisme, impérialisme – est certes arrivé mais toujours *à l'extérieur* de ce qui constitue la "it's history"

France ? On minore ainsi les liens entre capitalisme et racisme, entre sexisme et racisme, et on préserve une innocence française. Ainsi, le féminisme français se pare de retenue face à l'héritage colonial et esclavagiste. C'est à croire que, dès lors que les femmes seraient victimes de la domination masculine, elles n'auraient aucune responsabilité à l'égard des politiques menées par l'État français.

Le féminisme comme lutte pour le droit d'exister

Se dire féministe décoloniale, défendre les féminismes de politique décoloniale aujourd'hui, ce n'est pas seulement arracher le mot « féminisme » aux mains avides de la réaction, en peine d'idéologies, mais c'est aussi affirmer notre fidélité aux luttes des femmes du Sud global qui nous ont précédées. C'est reconnaître leurs sacrifices, honorer leurs vies dans toutes leurs complexités, les risques qu'elles ont pris, les hésitations et découragements qu'elles ont connus, c'est recevoir leurs héritages. D'autre part, c'est reconnaître que l'offensive contre les femmes désormais justifiée et revendiquée publiquement par des dirigeants d'État n'est pas tout simplement l'expression d'une domination masculiniste décomplexée, mais une manifestation de la violence destructrice engendrée par le capitalisme. Le féminisme décolonial, c'est dépatriarcaliser les luttes révolutionnaires. En d'autres termes, les féminismes de politique décoloniale

RIGHT TO EXIST

contribuent à la lutte entreprise depuis des siècles par une partie de l'humanité pour affirmer son droit à l'existence.

Les féminismes de politique décoloniale[14]

Un des faits marquants de ce début du xxie siècle, et qui s'affirme depuis plusieurs années, est le mouvement de féminismes de politique décoloniale dans le monde. Ce courant a développé une multitude de pratiques, d'expériences et de théories ; les plus encourageants et originaux sont des mouvements de terrain qui abordent les questions de manière transversale et intersectionnelle. Ce mouvement provoque sans surprise une réaction violente des hétéropatriarches, de féministes du Nord et de gouvernements. C'est dans le Sud global que ce mouvement s'est développé, réactivant la mémoire des luttes féministes précédentes, jamais perdues parce que jamais abandonnées, malgré de terribles assauts à son encontre. Rejointes par des féministes en Espagne, en France, ou aux États-Unis, les mouvements qui le composent déclarent la guerre au racisme et au sexisme, au capitalisme et à l'impérialisme lors d'immenses manifestations en Argentine, en Inde, au Mexique, en Palestine. Ses militantes dénoncent le viol et le féminicide, et lient ce combat aux luttes contre les politiques de dépossession, contre la colonisation, l'extractivisme et la destruction systématique du vivant.

Ce n'est ni une « nouvelle vague » ni une « nouvelle génération », selon les formules favorites qui masquent les vies multiples des mouvements des femmes, mais une nouvelle étape dans le processus de décolonisation, dont nous savons qu'il est un long processus historique. Ces deux formules – vague et génération – contribuent à effacer le long travail souterrain qui permet à des traditions oubliées de renaître et occultent le fait même que ces courants aient été ensevelis ; cette métaphore confie en outre une responsabilité historique à un phénomène mécanique (« vague ») ou démographique (« génération »). Les féminismes de politique décoloniale rejettent ces formules qui segmentent car ils s'appuient sur la longue histoire des luttes de leurs aînées, femmes autochtones pendant la colonisation, femmes réduites en esclavage, femmes noires, femmes dans les luttes de libération nationale et de l'internationalisme subalterne féministe dans les années 1950-1970, et femmes racisées qui luttent quotidiennement aujourd'hui.

Les mouvements féministes de politique décoloniale font face, avec les autres mouvements décoloniaux et tous les mouvements d'émancipation, à une période d'accélération du capitalisme qui régule désormais le fonctionnement des démocraties. Ils doivent trouver des alternatives à l'absolutisme économique, à la fabrication infinie de

21

marchandises. Nos luttes constituent une menace pour les régimes autoritaires qui accompagnent l'absolutisme économique du capitalisme. Elles menacent aussi la domination masculiniste, effrayée de devoir renoncer à son pouvoir – et qui, partout, montre sa proximité avec les forces fascisantes. Elles ébranlent également le féminisme civilisationnel qui, ayant fait des droits des femmes une idéologie de l'assimilation et de l'intégration à l'ordre néolibéral, réduit les aspirations révolutionnaires des femmes à la demande de partage 50/50 des privilèges accordés aux hommes blancs par la suprématie blanche. Complices actives de l'ordre capitaliste racial, les féministes civilisationnelles n'hésitent pas à apporter leur soutien à des politiques d'intervention impérialistes, à des politiques islamophobes ou encore négrophobes.

Les enjeux sont énormes et le danger terrible. Il s'agit de s'opposer au nationalisme autoritaire et au néofascisme, pour qui les féministes racisées sont des ennemies à abattre. Et la démocratie occidentale ne prétendra plus nous protéger lorsque les intérêts du capitalisme seront réellement menacés. L'absolutisme capitaliste voit d'un bon œil tous les régimes qui lui permettent d'imposer ses règles et ses méthodes, lui ouvre les espaces qui ne sont pas encore colonisés, lui accorde l'accès à la propriété de l'eau, de l'air, de la terre.

La montée des réactionnaires de tous poils

montre bel et bien une chose : un féminisme qui ne se bat que pour l'égalité de genre, qui refuse de voir combien l'intégration laisse les femmes racisées à la merci de la brutalité, de la violence, du viol et du meurtre, en est finalement complice. Telle est la leçon à tirer de l'élection à la présidence du Brésil, en octobre 2018, d'un homme blanc soutenu par les grands propriétaires terriens, le monde des affaires et les Églises évangéliques, un homme qui a ouvertement déclaré sa misogynie, son homophobie, sa négrophobie, son mépris des peuples autochtones, sa volonté de vendre le Brésil au plus offrant, de piétiner les lois sociales pour les classes les plus pauvres et celles de protection de la nature, de revenir sur les accords signés avec les peuples amérindiens, et tout cela quelques mois après l'assassinat de l'élue queer et noire Marielle Franco. Une simple approche en termes d'égalité de genre montre ses limites dès lors que des partis de droite autoritaire et d'extrême droite élisent des femmes à leur tête ou les choisissent comme égéries – Sarah Palin, Marine Le Pen, Giorgia Meloni...

Critique des épistémicides

Dans le magnifique film de Fernando Solanas, *L'Heure des brasiers* (1968), la phrase suivante apparaît à l'écran : « Le prix que nous payons pour être humanisé•e•s » (*The price we pay to be humanized*).

En effet, le prix à payer a été lourd et continue à être lourd. Le système contre lequel nous luttons a renvoyé à l'inexistence des savoirs scientifiques, des esthétiques et des catégories entières d'êtres humains. Ce monde européen n'a jamais réussi à être hégémonique mais il s'est approprié sans hésitation et sans honte savoirs, esthétiques, techniques et philosophies de peuples qu'il asservissait et dont il niait la civilisation. Notre combat se situe résolument contre la politique du vol justifié, légitimée et pratiquée sous les auspices encore vivaces d'une mission civilisatrice. Sans nier les complexités et contradictions des siècles de colonialisme européen, ou ce qui a échappé à ses techniques de surveillance, sans occulter non plus les techniques d'emprunt ou de détournement utilisées par les colonisé•e•s, une connaissance approfondie des échanges (culturels, techniques et scientifiques) Sud-Sud manque encore, en grande partie à cause des politiques de financement de la recherche. C'est une lutte pour la justice épistémique, autrement dit celle qui réclame l'égalité entre les savoirs et conteste l'ordre du savoir imposé par l'Occident. Les féminismes de politique décoloniale s'inscrivent dans le long mouvement de réappropriation scientifique et philosophique qui révise le récit européen du monde. Ils contestent l'économie-idéologie du manque, cette idéologie occidentale-patriarcale qui a fait des femmes, des Noir•e•s, des peuples autochtones, des peuples d'Asie et d'Afrique des êtres inférieurs marqués par l'absence de raison, de beauté, ou d'un esprit naturellement apte à la découverte scientifique et technique. Cette idéologie a fourni son fondement aux politiques de développement qui disent en substance : « Vous êtes sous-développés mais vous pouvez être développés si vous adoptez nos technologies, nos manières de résoudre les problèmes sociaux et économiques. Vous devez imiter nos démocraties, le meilleur des systèmes, car vous ne savez pas ce qu'est la liberté, le respect des lois, la séparation des pouvoirs. » Cette idéologie nourrit le féminisme civilisationnel qui, à son tour, dit en substance : « Vous n'avez pas la liberté, vous ne connaissez pas vos droits. Nous allons vous aider à atteindre le niveau de développement adéquat. » Le travail de redécouverte et de valorisation des savoirs, des philosophies, des littératures, des imaginaires ne commence pas avec nous mais une de nos missions est de faire l'effort de les connaître et de les diffuser. Les militantes féministes savent combien la transmission des luttes est susceptible d'être rompue ; elles font souvent face à l'ignorance des luttes et des résistances, entendent souvent « nos parents ont baissé la tête, ils se sont laissé faire ». L'histoire des luttes féministes est pleine de trous, d'approximations, de généralités. Les féminismes de politique décoloniale et des universitaires féministes racisées ont compris la nécessité de développer leurs propres outils de transmission et de savoir : à travers des blogs, des films, des expositions, des festivals, des rencontres, des ouvrages, des pièces de théâtre, de la danse, des chants, de la musique, elles font circuler des récits, des textes, traduisent, publient, filment, font connaître des figures historiques, des mouvements. C'est un mouvement à accentuer, notamment en faisant l'effort de traduire des textes féministes venant du continent africain, d'Europe, des Caraïbes, d'Amérique du Sud et d'Asie en plusieurs langues.

Qu'est-ce que la colonialité ?

Parmi les axes de lutte d'un féminisme décolonial, il faut tout d'abord souligner le combat contre la violence policière et la militarisation accélérée de la société, sous-tendue par une idée de la protection confiant à l'armée, à la justice de classe/raciale et à la police le soin de l'accomplir. Cela implique de rejeter le féminisme carcéral et punitif qui se satisfait d'une approche judiciaire des violences, sans interroger la mort des femmes et des hommes racisé•e•s puisque « naturelle », considérée comme un fait de culture, un accident, une triste occurrence dans nos démocraties. Il faut s'efforcer de dénoncer la violence systémique contre les femmes et les transgenres, mais sans opposer les victimes les unes aux autres ; analyser la production des corps racisés sans oublier la violence qui vise les transgenres et les travailleur•se•s du sexe ; dénationaliser et décoloniser le récit du féminisme blanc bourgeois sans occulter les réseaux féministes antiracistes internationalistes ; être attentif aux politiques d'appropriation culturelle, et se méfier de l'attrait des institutions de pouvoir pour la « diversité ». Nous ne devons pas sous-estimer la rapidité avec laquelle le capital se montre capable d'absorber des notions pour en faire des slogans vidés de leur contenu : pourquoi le capital ne serait-il pas capable d'incorporer l'idée de décolonisation, de décolonialité ? Le capital est colonisateur, la colonie lui est consubstantielle, et pour comprendre comment elle perdure il faut se libérer d'une approche qui voit exclusivement dans la colonie la forme que lui a donnée l'Europe au XIXe siècle et ne pas confondre colonisation et colonialisme. La distinction que fait Peter Ekeh est ici utile : la colonisation est un événement/période, le colonialisme un processus/mouvement, un mouvement social total dont la perpétuation s'explique par la persistance des formations sociales issues de ces séquences[15]. Les féministes décoloniales étudient la manière dont le complexe racisme/sexisme/ethnicisme imprègne toutes les relations de domination, alors même que des régimes qui étaient associées à ce phénomène ont disparu. La notion de colonialité est extrêmement importante pour analyser la France contemporaine à l'heure où tant et tant, neocolonialism?

même à gauche, continuent de croire que c'en est fini du colonialisme. Selon ce récit, la décolonisation aurait tout simplement mis un point final au colonialisme. Or, outre que la république continue d'avoir la mainmise sur des territoires sous dépendance, les institutions de pouvoir restent structurées par le racisme. Pour les féminismes de politique décoloniale en France, l'analyse de la colonialité républicaine française reste centrale. C'est une colonialité qui a en héritage le partage du monde que l'Europe a tracé au XVIe siècle et qu'elle n'a eu de cesse de réaffirmer en utilisant le glaive, la plume, la foi, le fouet, la torture, la menace, la loi, le texte, la peinture puis la photographie et le cinéma. C'est une colonialité qui institue une politique de vies jetables, *humans as waste*. On ne saurait toutefois limiter notre propos à l'espace-temps du récit européen. L'histoire des décolonisations est aussi celle de la longue durée des luttes ayant bousculé l'ordre du monde. Dès le XVIe siècle, les peuples ont combattu la colonisation occidentale (les luttes des peuples autochtones et des Africain•e•s réduit•e•s en esclavage, la Révolution haïtienne). D'autre part, effacer les transferts et itinéraires Sud-Sud des libérations, occulter les expériences internationalistes des forces anticoloniales, donne à penser que la décolonisation n'aurait été qu'une indépendance dans la loi, et même un leurre. L'ignorance de la circulation Sud-Sud de personnes, d'idées et de pratiques émancipatrices préserve l'hégémonie de l'axe Nord-Sud ; or les échanges Sud-Sud ont été cruciaux pour la diffusion de rêves de libération. Ces relectures en termes d'espace-temps sont essentielles pour stimuler l'imagination des féminismes de politique décoloniale.

Contre l'eurocentrisme

Pour donner toute l'ampleur nécessaire à notre critique, il faut aller jusqu'à dire que le féminisme civilisationnel naît avec la colonie, dans la mesure où les féministes européennes élaborent un discours sur leur oppression en se comparant aux esclaves. La métaphore de l'esclavage est puissante, car les femmes ne sont-elles pas la propriété de leur père et de leur mari ? Ne sont-elles pas soumises aux lois sexistes de l'Église et de l'État ? Le féminisme de l'Europe des Lumières ne reconnaît pas les femmes qui participent à la Révolution haïtienne (laquelle sera célébrée par les poètes romantiques) ni les femmes esclaves qui se révoltent, marronnent, résistent. La question ici n'est pas d'émettre un jugement rétrospectif mais de se demander pourquoi, au regard de cet aveuglement, de cette indifférence, il n'y a toujours pas eu de retour critique sur la généalogie du féminisme européen. Réécrire l'histoire du féminisme en partant de la colonie représente un enjeu central pour le féminisme décolonial. On ne peut se contenter d'envisager la colonie comme un enjeu annexe de l'histoire. Il s'agit de considérer que, sans la colonie, nous n'aurions pas une France aux institutions structurellement racistes. Pour les femmes racisées au Nord et dans le Sud global, toutes les facettes de leurs vies, les risques auxquels elles s'exposent, le prix qu'elles paient du fait de la misogynie, du sexisme et du patriarcat sont encore à étudier et à visibiliser. Lutter contre le fémi-impérialisme, c'est faire resurgir du silence les vies des femmes « anonymes », refuser le processus de pacification et analyser pourquoi et comment les droits des femmes sont devenus une arme idéologique au service du néolibéralisme (qui peut tout à fait soutenir ailleurs un régime misogyne, homophobe et raciste). Quand les droits des femmes se résument à la défense de la liberté – « être libre de, avoir le droit de… » – sans questionner le contenu de cette liberté, sans s'interroger sur la généalogie de cette notion dans la modernité européenne, on est en droit de se demander si tous ces droits ne sont pas octroyés parce que d'autres femmes ne sont pas libres. Le récit du féminisme civilisationnel reste contenu dans l'espace de la modernité européenne et ne prend jamais en compte le fait qu'il se fonde sur le déni du rôle de l'esclavage et du colonialisme dans sa propre formation. La solution n'est pas de donner une place, forcément marginale, aux femmes esclaves, colonisées ou aux femmes racisées et des outre-mer. Ce qui est à l'ordre du jour, c'est la façon dont la division du monde qu'esclavage et colonialisme opèrent dès le XVIe siècle (entre une humanité qui a le droit de vivre et celle qui peut mourir) traverse les féminismes occidentaux. Si le féminisme reste fondé sur la division entre femmes et hommes (une division qui précède l'esclavage), mais qu'il n'analyse pas comment esclavage, colonialisme et impérialisme agissent sur cette division – ni comment l'Europe impose sa conception de la division femmes/hommes aux peuples qu'elle colonise ou comment ceux-ci créent d'autres divisions –, ce féminisme est alors raciste. L'Europe demeure son centre, toutes ses analyses partent de cette partie du monde : les racines coloniales du fascisme sont oubliées ; le capitalisme racial n'est pas une catégorie d'ana-lyse ; les femmes esclaves et colonisées ne sont pas perçues comme constituant le miroir négatif des femmes européennes. Rares ont été les féministes européennes qui ont été résolument antiracistes et anticolonialistes. Il y a eu évidemment des excep-tions, des journalistes, des avocates, des militantes qui ont proclamé leur solidarité avec les coloni-sé•e•s, mais cela n'a pas constitué le fondement du féminisme français – pourtant redevable des luttes antiracistes. Même le soutien aux nationa-listes algérien•ne•s qui a été si important pour des féministes françaises n'a pas entraîné une analyse du « choc en retour » dont parle admirablement

Aimé Césaire dans *Discours sur le colonialisme* : la colonisation travaille à *déciviliser* le colonisateur. Parler de féminisme civilisationnel, ou blanc bourgeois, a, dans cette perspective, un sens bien précis. Il n'est pas « blanc » tout bêtement parce que des femmes blanches l'adoptent mais parce qu'il se réclame d'une partie du monde, l'Europe, celle qui s'est construite sur un partage racisé du monde. Il est bourgeois parce qu'il n'attaque pas le capitalisme racial. On est en droit de poser cette question : comment et pourquoi le féminisme aurait-il échappé à ce que des siècles de domination et de suprématie blanches ont diffusé ? Comme on confond trop souvent racisme et extrême droite, pogroms et ghettos en Europe, on ne mesure pas à quel point le racisme s'est aussi répandu et propagé sans bruit et sans fureur, à travers la naturalisation de l'état de servitude racisée et l'idée que des civilisations auraient été incompatibles avec le progrès et les droits des femmes. Sauver les femmes racisées de « l'obscurantisme » reste un des grands principes des féministes civilisationnelles. Elles en ont fait une politique visant les femmes des colonies et, dans leur pays, les femmes racisées et les femmes des classes populaires. On ne peut nier que pour certaines ces actions trouvent leur fondement dans une volonté de bien faire, qu'elles sont animées par de bons sentiments et le souhait d'améliorer la situation des femmes, ni que des colonisé•e•s ont su tirer avantage de ces actions ; mais il y a une différence entre aide et critique radicale du colonialisme et du capitalisme, entre aide et combat contre l'exploitation et l'injustice. Ou, pour citer la militante autochtone australienne Lilla Watson : « Si vous êtes venus pour m'aider, vous perdez votre temps. Mais si vous êtes venus parce que votre libération est liée à la mienne, alors travaillons ensemble[16]. »

Pour une pédagogie décoloniale critique

Les théories et pratiques forgées au sein des luttes antiracistes, anticapitalistes et anticoloniales constituent des sources inestimables. Les féminismes de politique décoloniale apportent aux luttes qui partagent l'objectif de réhumaniser le monde leur bibliothèque de savoirs, leur expérience de pratiques, leurs théories antiracistes et antisexistes associées sans relâche aux luttes anticapitalistes et anti-impérialistes. Une féministe ne peut prétendre posséder « la » théorie et « la » méthode, elle cherche à être transversale. Elle se pose la question de ce qu'elle ne voit pas, elle cherche à déconstruire l'étau de l'éducation scolaire qui lui a appris à ne plus voir, ne plus sentir, à étouffer ses sens, à ne plus savoir lire, à être divisée à l'intérieur d'elle-même et à être séparée du monde. Elle doit réapprendre à entendre, voir, sentir pour pouvoir penser. Elle sait que la lutte est collective, elle sait que la détermination des ennemi•e••s à abattre les luttes de libération ne doit pas être sous-estimée, qu'ils utiliseront toutes les armes à leur disposition, la censure, la diffamation, la menace, l'emprisonnement, la torture, le meurtre. Elle sait aussi que la lutte est porteuse de difficultés, de tensions, de frustrations mais également de joie et de gaîté, de découvertes et d'élargissement du monde.

C'est un féminisme qui fait une analyse *multi-dimensionnelle* de l'oppression et refuse de découper race, sexualité et classe en catégories qui s'excluraient mutuellement. La multidimensionnalité, notion proposée par Darren Lenard Hutchinson, répond aux limites de la notion d'intersectionnalité, afin de mieux comprendre comment le « pouvoir raciste et hétéronormatif crée non seulement des exclusions précises à l'intersection des dominations, mais façonne toutes les propositions sociales et les subjectivités, y compris parmi ceux qui sont privilégiés[17] ». Cette notion fait écho au « féminisme de la totalité », une analyse qui entend prendre en compte la *totalité* des rapports sociaux[18]. Je partage l'importance donnée à l'État et j'adhère à un féminisme qui pense *ensemble* patriarcat, État *et* capital, justice reproductive, justice environnementale *et* critique de l'industrie pharmaceutique, droit des migrant•e••s, des réfugié•e••s *et* fin du féminicide, lutte contre l'Anthropocène-Capitalocène racial *et* criminalisation de la solidarité.

Il ne s'agit pas de relier des éléments de manière systématique et finalement abstraite, mais de faire l'effort de voir si des liens existent et lesquels. Une approche multidimensionnelle permet d'éviter une hiérarchisation des luttes fondée sur une échelle de l'urgence dont le cadre reste souvent dicté par des préjugés. Tenir plusieurs fils à la fois pour surmonter la segmentation induite par l'idéologie et « saisir comment s'articulent historiquement production et reproduction sociale[19] », voilà l'enjeu. C'est cette approche qui m'a guidée dans mon analyse des milliers d'avortements et stérilisations sans consentement perpétrés annuellement à l'île de La Réunion dans les années 1970, car si je m'étais arrêtée à l'explication qui rendait pour seuls responsables de ce crime les médecins blancs et français qui y procédaient, je l'aurais réduite à une histoire de cupidité chez quelques hommes blancs alors qu'une étude de la totalité des éléments a mis en lumière une politique étatique française nataliste en France et antinataliste pour les femmes racisées et pauvres dans ses départements « d'outre-mer », politique qui s'inscrivait dans une reconfiguration globale des politiques occidentales de contrôle des naissances dans un contexte de luttes de libération nationale et de Guerre froide[20]. De même, dans une présentation[21] de pédagogie décoloniale critique, j'utilise un fruit familier, la banane, pour éclairer un certain nombre d'analogies et d'affinités électives : sa dispersion de la

Nouvelle-Guinée au reste du monde, banane et esclavage, banane et impérialisme US (*banana republics*), banane et agrobusiness (pesticides, insecticides – le scandale du chlordécone aux Antilles), banane et conditions de travail (régime plantationnaire, violence sexuelle, répression), banane et environnement (monoculture, eau polluée, terres polluées), banane et sexualité, banane et musique, banane et spectacle (Josephine Baker), banane et branding (Banana Republic), banane et racisme (à partir de quand banane et négrophobie sont-elle associées?), banane et science (recherche de la banane « parfaite »), banane et consommation (faire entrer la banane dans les foyers, suggérer des recettes), banane et rituels aux ancêtres, banane et art contemporain. La méthode est simple : partir d'un élément pour mettre au jour un écosystème politique, économique, culturel et social afin d'éviter la segmentation que la méthode occidentale des sciences sociales a imposée. Les analyses les plus éclairantes et productives ont d'ailleurs été ces dernières décennies celles qui ont tiré le plus grand nombre de fils pour mettre en lumière les réseaux d'oppression concrets et subjectifs qui tissent la toile de l'exploitation et des discriminations.

Le féminisme décolonial comme imaginaire utopique

Dans le contexte d'un capitalisme à la puissance destructrice redoublée, d'un racisme et d'un sexisme meurtriers, cet ouvrage affirme que oui, le féminisme que j'appelle *féminisme de politique décoloniale* est à défendre, développer, affirmer et mettre en pratique. Le *féminisme de marronnage* offre au féminisme décolonial un ancrage historique dans les luttes de résistance à la traite et à l'esclavage. J'appelle ici marronnage et marron•ne•s toutes les initiatives, toutes les actions, tous les gestes, les chants, les rituels qui la nuit ou le jour, cachés ou visibles, représentent une promesse radicale. Le marronnage affirmait la possibilité d'un futur quand ce dernier était forclos par la loi, l'Église, l'État, la culture qui proclamaient qu'il n'y avait pas d'alternative à l'esclavage, que celui-ci était aussi naturel que le jour et la nuit, que l'exclusion des Noir•e•s de l'humanité était chose naturelle. Les marron-ne-s firent apparaître l'aspect fictif de cette naturalisation et en brisant les codes elles/ils ont opéré une rupture radicale qui a déchiré le voile du mensonge. Elles/ils ont dessiné des territoires souverains au cœur même du système esclavagiste et ont proclamé leur liberté. Leurs rêves, leurs espoirs, leurs utopies, comme les raisons de leurs défaites, demeurent des espaces où puiser une pensée de l'action. Dès lors, il est une utopie, au sens de promesse radicale, qui est un terrain contre le capitalisme proclamant lui aussi qu'il n'y a pas d'alternative à son économie et à son idéologie, qu'il est aussi naturel que le jour et la nuit, et promettant même des solutions

technologiques et scientifiques qui transforme-
ront ses ruines en espaces de bonheur. Contre
ces idéologies, le marronnage comme politique
de la désobéissance affirme qu'il existe la possibilité d'une « futurité » (*futurity*), pour emprunter
la notion aux féministes noires américaines. En
s'affirmant marron, le féminisme s'ancre dans
cette remise en question de la naturalisation de
l'oppression, en se disant décolonial, il combat
la colonialité du pouvoir. Mais s'inscrire dans le
champ du féminisme est-il la réponse adaptée à la
montée d'une fascisation politique, à la prédation
capitaliste et à la destruction des conditions écolo-
giques nécessaires aux êtres vivants, aux politiques
de dépossession, de colonisation, d'effacement
et de marchandisation, à la criminalisation et à
la prison comme réponses à l'augmentation de
la pauvreté ? Cela a-t-il un sens de disputer du
terrain au féminisme civilisationnel, appelé aussi
mainstream ou blanc bourgeois, qui pense corri-
ger les injustices en partageant les postes entre
femmes et hommes sur la base d'un 50/50 sans
questionner l'organisation sociale, économique et
culturelle et qui entend faire du genre, de la sexualité, de la classe, des origines, de la religion, une
affaire entièrement privée ou une marchandise ?
Combattre le fémonationisme et le fémi-impérialisme (j'en développe les contenus plus loin) sont
aussi des arguments pour défendre le féminisme
décolonial. Mais cela ne suffit pas. L'argument

essentialiste d'une nature féminine qui serait plus à même de respecter la vie et de désirer une société juste et égalitaire ne tient pas, les femmes ne constituent ni spontanément ni en elles-mêmes une catégorie politique. Ce qui justifie une réappropriation du terme « féminisme », de ses théories et pratiques s'ancre dans la conscience d'une expérience profonde, concrète, quotidienne d'une oppression produite par la matrice État, patriarcat et capital, qui fabrique la catégorie « femmes » pour légitimer des politiques de reproduction et d'assignation toutes deux racialisées.

Les féminismes de politique décoloniale n'ont pas pour but d'améliorer le système existant mais de combattre toutes les formes d'oppression : la justice pour les femmes signifie la justice pour tous. Il n'entretient pas des espérances naïves, ne se nourrit pas du ressentiment ni de l'amertume ; nous savons que le chemin est long et parsemé d'embûches mais nous gardons en mémoire le courage et la résilience des femmes racisées à travers l'histoire. Il ne s'agit donc pas d'une nouvelle vague du féminisme, mais de la poursuite des luttes d'émancipation des femmes du Sud global.

Les féminismes de politique décoloniale puisent dans les théories et pratiques que des femmes ont forgées sur le temps long au sein des luttes antiracistes, anticapitalistes et anticoloniales – participant à élargir les théories de libération et d'émancipation à travers le monde. Il s'agit de combattre fermement la violence policière et la militarisation accélérée de la société comme la conception de la sécurité qui confie à l'armée, à la justice de classe/raciale et à la police le soin de l'assurer. Cela consiste en un rejet du féminisme carcéral et punitif.

Dans cette cartographie des luttes des femmes du Sud, l'esclavage colonial garde à mes yeux un rôle fondateur. Il constitue la « matrice de la race », pour reprendre l'expression si juste de la philosophe Elsa Dorlin, et relie l'histoire de l'accumulation des richesses, de l'économie plantationnaire et du viol (fondement d'une politique de la reproduction dans la colonie) à l'histoire de la destruction systématique des liens sociaux et familiaux et au nœud race/classe/genre/sexualité. La temporalité esclavage/abolition renvoie l'esclavage colonial à un passé historique et, dès lors, ignore comment ses stratégies de racialisation et de sexualisation continuent à porter leurs ombres sur notre temps. L'immense apport de l'afro-féminisme (Brésil, États-Unis) sur l'importance de l'esclavage colonial dans la formation du monde moderne et l'invention du monde blanc, de son rôle dans l'interdiction des liens familiaux, n'a pourtant toujours pas affecté les analyses du féminisme blanc bourgeois. Des féministes en Occident ont certes analysé comment se construit la « bonne maternité », la « bonne mère » et le « bon père » de la famille hétéronormée, mais sans jamais prendre en compte le « choc en retour » de l'esclavage et du colonialisme. On sait que sous l'esclavage on pouvait à tout moment arracher les enfants à leurs mères, qu'elles n'étaient pas autorisées à les défendre, que les femmes noires étaient à la disposition des enfants de leurs propriétaires comme nourrices, que leurs enfants étaient à la disposition des enfants du maître comme compagnes ou compagnons de jeux, que petites filles et femmes noires étaient exploitées sexuellement, et que tous ces rôles étaient soumis aux caprices du maître, de son épouse et de ses enfants. Les hommes étaient privés du rôle social de père et de compagnon. Cette destruction de liens familiaux qui était établie par la loi continue à porter son ombre sur les politiques familiales visant les minorités racisées et les peuples autochtones.

Femmes blanches et femmes du Sud global

On le sait, les femmes blanches n'aiment pas qu'on leur dise qu'elles sont blanches. Être blanc a été construit comme étant si ordinaire, si dénué de caractéristiques, si normal, si dépourvu de sens que, comme le signale Gloria Wekker dans *White Innocence. Paradoxes of Colonialism and Race*[22], il est pratiquement impossible de faire reconnaître à une Blanche qu'elle est blanche. Vous le lui dites, et elle est bouleversée, agressive, horrifiée, pratiquement en larmes. Elle trouve votre remarque

« raciste ». Pour Fatima El Tayeb, dire que la pensée européenne moderne a donné naissance à la race représente une violation insupportable de ce qui est cher aux Européen•ne•s, l'idée d'un continent « color-blind », dépourvu de l'idéologie dévastatrice qu'il a exporté à travers le monde entier[23]. Le sentiment d'être innocente est au cœur de cette incapacité à se voir comme blanche et donc de se protéger de toute responsabilité dans l'ordre du monde actuel. Et il ne pourrait dès lors y avoir de féminisme blanc (puisqu'il n'y a pas de Blanches), mais un féminisme universel. L'idéologie des droits des femmes que le féminisme civilisationnel promeut ne saurait être raciste puisqu'elle émane d'un continent exempt de tout racisme. Avant de poursuivre, il convient de répéter – puisque toute référence à l'existence de la blancheur entraîne une accusation de « racisme à l'envers » – qu'il ne s'agit pas de couleur de peau, ni de tout racialiser, mais de faire admettre que la longue histoire de la racialisation en Europe (à travers l'antisémitisme, l'invention de la « race noire », de la « race asiatique », ou de « l'Orient ») n'a pas été sans conséquences sur la conception de l'humain, de la sexualité, des droits naturels, de la beauté et de la laideur… Admettre être blanche, c'est-à-dire admettre que des privilèges ont été historiquement accordés à cette couleur – privilèges qui peuvent être aussi banals que de pouvoir entrer dans un magasin sans être automatiquement soupçonnée de vouloir y voler, de ne pas avoir à s'entendre dire systématiquement que l'appartement que l'on souhaite est déjà loué, d'être naturellement prise pour l'avocate et non son assistante, pour le médecin et non l'aide-soignante, pour l'actrice et non la femme de ménage… –, serait déjà faire un grand pas. Il est admis que des femmes blanches ont su être réellement solidaires des luttes de l'antiracisme politique. Mais les femmes blanches doivent aussi comprendre la fatigue ressentie quand il faut toujours les éduquer sur leur propre histoire. Pourtant, une large bibliothèque sur ces thèmes est disponible. Qu'est-ce qui les retient ? Pourquoi attendent-elles d'être éduquées ? Certaines disent que nous oublions la classe, que le racisme a été inventé pour diviser la classe ouvrière, que nous favorisons paradoxalement l'extrême droite en parlant de « race ». C'est toujours aux racisées d'expliquer, de justifier, d'accumuler les faits, les chiffres alors que faits et chiffres, ni sens moral, ne changent quoi que ce soit au rapport de force. Reni Eddo-Lodge exprime un sentiment familier et légitime quand elle explique : « Pourquoi je ne veux plus parler de race avec les Blancs ». Prétendre que le débat sur le racisme peut se dérouler comme si les deux parties étaient à égalité est illusoire, écrit-elle, et ce n'est pas à celles et ceux qui n'ont jamais été victimes de racisme d'imposer le cadre de la discussion[24].

La femme blanche a littéralement été une production de la colonie. Dans *La Matrice de la race*, la philosophe Elsa Dorlin explique comment, aux Amériques, les premiers naturalistes ont pris modèle sur la différence sexuelle pour élaborer le concept de « race » : les Indiens aux Caraïbes ou les esclaves déportés seraient des populations au tempérament pathogène, efféminé et faible. On passe, écrit Dorlin, de la définition d'un « tempérament de sexe » à celle d'un « tempérament de race ». Le modèle féminin de la « mère », blanche, saine et maternelle, opposé aux figures d'une féminité « dégénérée » – la sorcière, l'esclave africaine –, donne corps à la Nation, conclut la philosophe[25]. Les femmes européennes n'échappent pas à la division épistémologique qui s'opère au xvie siècle et réduit à la « non-existence » une somme considérable de connaissances[26]. À leurs yeux, les femmes du Sud sont privées de savoirs, d'une réelle conception de la liberté, de ce qui fait famille ou de ce qui constitue être « une femme » (qui ne serait pas nécessairement lié au genre ou au sexe définis à la naissance). Se percevant comme victimes des hommes (et de fait elles sont restées mineures dans la loi pendant des siècles), elles ne voient pas que leur désir d'égalité avec ces hommes repose sur l'exclusion de femmes et d'hommes racisé•e•s et que la conception européenne du monde, de la modernité dans laquelle elles s'inscrivent, renvoie femmes et hommes qui n'appartiennent ni à leur classe ni à leur race à une inégalité de fait et de droit. En faisant de leur expérience, souvent celle de femmes de la classe bourgeoise, un universel, elles contribuent à la division du monde en deux : civilisés/barbares, femmes/hommes, Blancs/Noirs, et la conception binaire du genre devient un universel. Maria Lugones a ainsi parlé de « colonialité du genre » : l'expérience historique des femmes colonisées n'est pas seulement celle d'une minoration raciale, écrit-elle, mais aussi celle d'une assignation sexuelle. Les femmes colonisées sont réinventées comme « femmes » à partir des normes, des critères et des pratiques discriminatoires expérimentés dans l'Europe médiévale[27]. Les femmes racialisées ont dès lors fait face à un double assujettissement : celui des colonisateurs et celui des hommes colonisés. La philosophe féministe nigériane Oyèrónkẹ Oyěwùmí remet elle aussi en question l'universalisme des formulations euro-modernes du genre. Elle y voit la manifestation de l'hégémonie du biologisme occidental et de la domination de l'idéologie euro-nord américaine dans la théorie féministe[28].

Le féminisme et le refoulé de l'esclavage

En établissant une analogie entre leur situation et celle des esclaves, les féministes européennes dénoncent une situation de dépendance, un statut de mineure à vie mais elles enlèvent à l'esclavage des éléments essentiels qui font de cette analogie une usurpation : capture, déportation, vente, trafic, torture, déni des liens sociaux et familiaux, viol, épuisement, racisme, sexisme et mort encadrent la vie des femmes esclaves. Ce n'est pas nier la brutalité de la domination masculine en Europe que de faire cette distinction avec l'esclavage. Le siècle des Lumières, celui de la publication de textes féministes historiques pour le continent européen, est aussi celui du pic de la traite transatlantique (70 000 à 90 000 Africain•e•s déporté•e•s par an, alors que jusqu'au XVIIᵉ siècle, le chiffre est de 30 000 à 40 000 par an). Les féministes françaises antiesclavagistes (peu nombreuses) du XVIIIᵉ siècle s'appuient sur une vision sentimentaliste, sur une littérature de la pitié, pour dénoncer le crime esclavagiste[29]. Une des œuvres les plus célèbres de ce genre, la pièce d'Olympe de Gouges *Zamore et Mirza*, donne à une Blanche le rôle principal : c'est elle qui permet l'émancipation des Noir•e•s de l'esclavage. Appelée, après les corrections exigées en 1785 par la Comédie-Française, *L'Esclavage des Nègres, ou l'Heureux Naufrage*, la pièce conte l'histoire de deux jeunes esclaves marrons en fuite et réfugiés sur une île déserte. Zamore, qui a tué un commandeur, est recherché. Il sauve de la noyade un jeune couple de Français, dont Sophie, fille du gouverneur Saint-Frémont. Cette dernière aide alors Zamore et Mirza à échapper à leur

statut de servitude et le gouverneur affranchit les
esclaves de sa plantation à la fin de la pièce. Sans
la femme blanche, pas de liberté. Signalons que
même cette tentative timide par son ton et son
contenu fit malgré tout scandale. La pièce fut
jugée subversive, car l'auteure laissait entrevoir
« une liberté générale [qui] rendrait les hommes
nègres aussi essentiels que les blancs » et qu'ils
seraient un jour « les cultivateurs libres de leurs
contrées, comme les laboureurs en Europe, [qu']
ils ne quitter[aient] point leurs champs pour aller
chez les nations étrangères[30] ». Ce récit où l'intervention des Blancs change le destin des esclaves
noir•e•s, où les Noir•e•s méritant la liberté doivent
présenter des qualités de douceur, de sacrifice et
de soumission, a été hégémonique. Les textes
qui le mirent en question ont consisté en des
témoignages directs d'anciens captifs et d'anciens
esclaves. Dans *Paul et Virginie*, un des ouvrages
les plus lus au XVIIIe siècle, Bernardin de Saint-
Pierre adoucit la nature des relations entre blancs
et Noirs. Un des épisodes les plus stupéfiants du
roman met en scène une jeune femme esclave qui,
s'étant enfuie car maltraitée par son maître, se
présente un dimanche matin devant la maison de
Virginie. Cette dernière la recueille et lui donne
à manger avant de la persuader de retourner chez
son maître pour lui demander pardon de s'être
enfuie. La jeune esclave est ramenée par la douce
Virginie à son maître qui, évidemment, la punit.

La niaiserie de Virginie n'est que le fruit de son innocence entêtée à refuser de voir le racisme. Elle fait de l'esclavage une simple relation individuelle où la violence peut être réparée par le pardon du maître. Les témoignages qu'ont pu laisser des femmes esclaves contredit absolument cette niaiserie aux conséquences brutales mais que la femme blanche refuse de voir. Au XIXe siècle, la plupart des féministes, à quelques rares exceptions comme Louise Michel ou Flora Tristan, soutiennent l'empire colonial dans lequel elles voient un levier pour sortir les femmes colonisées des fers du sexisme de leurs sociétés. Elles ne renient pas la mission civilisatrice mais veulent s'assurer que son versant féminin sera respecté. Elles créent des écoles pour les filles, encouragent les métiers de service et de domesticité, protestent contre des abus, mais n'attaquent jamais la colonisation elle-même. Elles en acceptent la structure et les institutions, trouvant dans la colonie la possibilité de déployer principes et valeurs de leur féminisme, celui qui adhère à l'ordre républicain colonial. Face à l'hostilité de colons, elles subliment leurs actions. L'étude des journaux de voyageuses, des rapports de féministes peut dès lors faire oublier que la conquête coloniale est la base de leur action, que c'est grâce aux armées coloniales que des routes de voyage sont ouvertes et que des lieux où des Européennes peuvent vivre sont construits.

Dans le récit hégémonique des luttes pour les droits des femmes, un oubli met particulièrement au jour le refus de considérer les privilèges que donne la blanchité. Ce récit met en scène des femmes privées de droits qui les obtiennent progressivement, jusqu'à bénéficier de celui qui est l'emblème des démocraties européennes, le droit de vote. Or, si sur une longue période les femmes blanches n'ont effectivement pas pu jouir de nombreux droits civiques associés, elles ont eu celui de posséder des êtres humains ; elles ont possédé des esclaves et des plantations puis, à la suite de l'abolition de l'esclavage, ont été à la tête de plantations coloniales où sévissait le travail forcé[31]. L'accès à la propriété d'êtres humains ne leur était pas refusé et ce droit leur a été accordé parce qu'elles étaient blanches. Une des plus grandes esclavagistes à l'île de La Réunion fut une femme, Madame Desbassyns, qui n'avait ni le droit de vote, ni de passer le baccalauréat, ni d'être avocat, ni médecin ou professeur à l'université, mais avait celui de posséder des êtres humains, classés comme « meubles » dans son patrimoine. Aussi longtemps que l'histoire des droits des femmes sera écrite sans tenir compte de ce privilège, elle sera mensongère.

Ignorant la place des femmes esclaves, marronnes, travailleuses engagées et colonisées dans les luttes pour la liberté et l'égalité raciale, le féminisme blanc établit le seul cadre des luttes de femmes. Cette lutte s'apparente à l'égalité avec les hommes blancs bourgeois et n'a de place qu'en France. La surdité, l'aveuglement à l'égard des ressorts réels des « droits des femmes », à l'égard du rôle du colonialisme et de l'impérialisme dans leur conception ne pouvaient que nourrir une idéologie féministe ouvertement nationaliste, inégalitaire et islamophobe où le terme « français » en vient à recouvrir non pas un espace de langue comme outil commun, mais l'espace du national/impérial.

De quel genre est-il alors question sous l'esclavage ? Les femmes réduites en esclavage sont noires et femmes mais dans les plantations, tous les êtres humains esclavagisés sont des bêtes de somme. Aux yeux des esclavagistes, les femmes noires sont des objets sexuels et non des êtres dont le genre demanderait qu'elles soient traitées avec douceur et respect. Esclaves, elles ont le statut légal d'objets, donc n'appartenant pas à la pleine humanité. Autrement dit, le genre n'existe pas en soi, il est une catégorie historique et culturelle, qui évolue dans le temps et ne peut être conçu de la même manière dans la métropole et la colonie, ni d'une colonie à l'autre ou à l'intérieur d'une colonie. Pour les femmes racisées, affirmer ce qui constitue pour elles être femme a été un terrain de lutte. Les femmes, je l'ai dit, ne constituent pas une classe politique en soi.

*L'exceptionnalisme français :
la République de l'innocence*

En France, où la doctrine républicaine se heurte aux impensés du passé colonial et aux défis du présent postcolonial, le féminisme est venu à la rescousse en identifiant féminisme à république. Peu importe que les femmes n'aient obtenu les droits les plus élémentaires que très tardivement sous la république, cette dernière sera dite de nature ouverte aux différences. S'efface dans ce récit le fait que ces droits ont été obtenus au prix de luttes. Est aussi oublié que, alors que les femmes françaises obtiennent le droit de vote en 1944, ce droit sera durement entravé dans les départements dits d'outre-mer et ce jusqu'aux années 1980. Toutes les femmes qui vivent dans l'espace de la République française ne bénéficient pas automatiquement des droits accordés aux femmes françaises blanches. Ce ne sont pas seulement les femmes bourgeoises qui sont racistes. En 1976, le bulletin de femmes militantes révolutionnaires en usine signale le racisme anti-Arabe d'ouvrières de Renault-Flins mais l'explique « en partie par l'attitude réactionnaire des Arabes [*sic*] vis-à-vis des femmes [mais qui viennent aussi] des préjugés intoxiqués par la bourgeoisie et qui choquent leurs principes : ils sont les premiers logés par les mairies. Ils ne veulent pas sortir de leur taudis, ils sont sales, s'ils retournaient dans leur pays il y aurait moins de chômage en France[32] ».

Aujourd'hui encore, l'accès aux soins prénataux et postnataux n'est pas également distribué ; les femmes racisées sont plus facilement privées de l'accès aux soins et elles sont plus souvent victimes de l'indifférence des services médicaux – sinon de maltraitance. La mort en mai 2017 de Naomi Musenga, une jeune femme de 27 ans dont les appels aux services d'urgence non seulement sont restés sans réponse mais ont été l'objet de moqueries, a remis en lumière ces discriminations racistes. Aucune institution ne semble échapper au racisme structurel : ni l'école, ni le tribunal, ni la prison, ni l'hôpital, ni l'armée, ni l'art, ni la culture ou la police. Si le débat sur le racisme structurel en France est si difficile, c'est aussi à cause d'une passion pour les principes abstraits plutôt que pour l'étude des réalités. Malgré les rapports, même ceux émanant d'organismes gouvernementaux prouvant les discriminations racistes/sexistes, l'aveuglement persiste.

Un autre frein à la déracialisation de la société française est le narcissisme entretenu à propos de sa singularité, de son exceptionnalisme. La langue française est même présentée au XXIe siècle comme un vecteur de la mission civilisatrice (féministe) car elle porterait en elle l'idée de l'égalité femmes/hommes. C'est un tel raisonnement qui justifie la priorité donnée aux jeunes femmes africaines dans l'obtention des bourses d'études gouvernementales[33]. La langue n'est pourtant pas neutre et le racisme s'y est insinué. L'histoire des mots qui commencent par « *N* » au féminin et au masculin, et qui sont des insultes racistes, est ici éclairante. À la fin du XVIIIe siècle, « *N* » a entièrement pris le sens d'« esclave noir », et *N* et *noir* sont utilisés de manière indifférenciée. Une question légitime se pose alors : par quel miracle le vocabulaire du féminisme aurait-il été préservé du racisme ? Prenons l'exemple d'Huber-tine Auclert, une des grandes figures du féminisme républicain français du XIXe siècle, connue pour sa lutte infatigable pour l'obtention du droit de vote des femmes, contre le code Napoléon qui avait fait de la femme une mineure et une per-sonne soumise à son mari, et contre la peine de mort. Secrétaire du journal *L'Avenir des femmes*, elle fait sienne la formule de Victor Hugo, « Les femmes : celles que j'appelle des esclaves », étudie le rôle des femmes dans les révolutions et dénonce « l'esclavage des femmes[34] ». Laurence Klejman et Florence Rochefort, auteures d'un ouvrage sur le féminisme français en 1989, résument ainsi son combat : « Elle puise toute sa formation politique dans le féminisme et, impatiente, elle se révolte contre ses aînés qui se contentent d'une reven-dication de principe ou carrément refusent la prise en compte du vote des femmes en raison du danger que représenterait cette réforme pour le régime. Elle choisit la provocation comme tactique. Astucieuse, imaginative, elle affirme d'emblée une identité politique par divers actes de désobéissance civile : l'inscription sur les listes électorales, la grève de l'impôt, le refus du recensement au prétexte que si les Françaises ne votent pas, elles ne doivent pas non plus payer ou être comptées[35]. » En 1881, elle fonde son propre journal, *La Citoyenne*, où elle démontre que les principes de la république sont bafoués, considère le 14 juillet comme une fête de la masculinité et le Code Napoléon comme une survivance de la monarchie. Pour Auclert, une ligne de partage existe, la *ligne de couleur*. Dans son texte « Les femmes sont les nègres [*sic*] », elle proteste contre le fait que le droit de vote ait été accordé aux hommes noirs dans les colonies après l'abolition de l'esclavage en 1848 : « Le pas donné aux nègres sauvages, sur les blanches cultivées de la métropole, est une injure faite à la race blanche. » Le droit de vote se colore sous la plume de la féministe : « Alors que les nègres votent, pourquoi les blanches ne votent-elles pas ? » « En nos possessions lointaines », poursuit-elle, « on fait voter un grand nombre de noirs, qui ne sont intéressés ni à nos idées, ni à nos affaires ; cependant que l'on refuse aux femmes éclairées de la métropole le bulletin de vote, qui les empêcherait d'être broyées dans l'engrenage social. » La *coloration* du droit de vote révèle la force du préjugé raciste chez cette féministe : « Cette mise en parallèle de "nègres" à moitié sauvages, sans charges ni obligations, votant, et de femmes civilisées, contribuables et point électeurs, démontre surabondamment, que les hommes ne conservent leur omnipotence en face des femmes, qu'afin d'exploiter ces déshéritées. » Il faut donc « empêcher les Français de traiter en nègres les Françaises[36] ». Opposer obscurantisme et lumières, c'est reprendre la vieille opposition entre civilisations, mais c'est surtout, tout simplement, accepter la *racialisation du féminisme*. L'universel est bien difficile à tenir.

Les femmes dans le colonialisme français

Frantz Fanon décrit par ces mots le rôle que le colonialisme du xxe siècle donne aux femmes : « À un premier niveau, il y a une reprise pure et simple de la fameuse formule : "Ayons les femmes, le reste suivra". » Il poursuit :

> L'administration coloniale peut alors définir une doctrine politique précise : « Si nous voulons frapper la société algérienne dans sa contexture, dans ses facultés de résistance, il nous faut d'abord conquérir les femmes ; il faut que nous allions les chercher derrière le voile où elles se dissimulent et dans les maisons où l'homme les cache ». C'est la situation de la femme indigène qui sera alors prise comme thème d'action. L'administration dominante veut défendre

solennellement la femme humiliée, mise à l'écart, cloîtrée... On décrit les possibilités immenses de la femme, malheureusement transformée par l'homme algérien en objet inerte, démonétisé, voire déshumanisé. Le comportement de l'Algérien est dénoncé très fermement et assimilé à des survivances moyenâgeuses et barbares. Avec une science infinie, la mise en place d'un réquisitoire type contre l'Algérien sadique et vampire dans son attitude avec les femmes, est entreprise et menée à bien. L'occupant amasse autour de la vie familiale de l'Algérien tout un ensemble de jugements, d'appréciations, de considérants, multiplie les anecdotes et les exemples édifiants, tentant ainsi d'enfermer l'Algérien dans un cercle de culpabilité[37].

Cette idéologie nourrit le féminisme civilisationnel du XXIe siècle – représentations négrophobes et orientalistes, idées préconçues sur « la » famille orientale ou africaine, sur la mère et le père dans ces familles. La réalité sociale n'a pas de place dans cette idéologie, car il faudrait alors analyser la catastrophe humaine et économique que les politiques républicaines ont engendrée dans les colonies[38]. Les tentatives de dévoilement des femmes algériennes par l'armée française, la représentation des combattantes algériennes comme victimes (soit de l'armée, soit de leurs frères combattants, mais jamais comme êtres faisant librement un choix), l'indifférence à la manière dont la colonialité républicaine opprime les femmes des outre-mer et les femmes racisées en France, le refus de dénoncer le capitalisme, la foi dans la modernité européenne constituent le terrain sur lequel le féminisme civilisationnel s'est développé et a obtenu l'attention des puissants.

La peur qu'a provoquée la participation des femmes dans les mouvements de libération nationale entraîne une mobilisation d'institutions internationales, de fondations et d'idéologues qui forgent des discours et développent des pratiques, jusqu'au recours à la répression. C'est ainsi que se sont diffusées les notions de développement et de *women's empowerment*, ainsi que le discours sur « les droits des femmes ». Ce dernier, qui émerge comme technique féministe de discipline à la fin des années 1980, et est contemporain du discours sur la « fin de l'histoire » et la « fin des idéologies », va être propulsé par plusieurs événements au cours de la fin du XXᵉ siècle et le début du XXIᵉ.

Le féminisme développementaliste

Dès les années 1970, des institutions internationales et des fondations nord-américaines s'agitent pour canaliser et orienter les mouvements féministes. C'est une décennie qui voit entrer des centaines de millions de femmes dans le monde du travail salarié. Les transformations du capitalisme sont une occasion décisive pour provoquer une explosion de bas salaires et la précarité, notamment par la féminisation à l'échelle mondiale des emplois sous-qualifiés dans les zones d'ouverture économique et dans l'économie informelle. Durant cette décennie, les progrès observés dans la féminisation des emplois vont de concert avec une augmentation très claire des inégalités dans le monde. Le conflit entre une approche révolutionnaire de la libération des femmes et une approche antidiscrimination qui vise des réformes dans la loi et l'intégration des femmes dans le capitalisme gagne alors en intensité. La première ne rejette pas la lutte pour des réformes mais dénonce l'argument qui fait de l'entrée des femmes dans le monde du travail salarié une opportunité de gain en autonomie individuelle et prône l'organisation collective sur le lieu de travail. Pour la seconde, l'indépendance se mesure en capacité d'accès à la consommation et à l'autonomie individuelle (l'image de la femme *corporate*, la mode des vestes à épaulettes qui l'accompagne…). Finalement, la décennie 1970 est aussi celle du déploiement mondial des politiques antinatalistes qui visent les femmes du tiers-monde. Les États-Unis prennent le leadership en la matière en soutenant financièrement des politiques de contrôle des naissances chez leurs communautés racisées et en Amérique du Sud. Dans un document longtemps resté confidentiel, l'agence de sécurité nationale (National Security) expose clairement les raisons de cette politique – trop de jeunes voudront émigrer, menaçant ainsi la sécurité du monde libre – qu'elle conseille de confier à l'agence fédérale[39]. En France, stérilisation et avortements dans les départements « d'outre-mer » sont encouragés par le gouvernement[40].

Ce ne sont pourtant pas les États-Unis, ni son gouvernement, ni son mouvement féministe *mainstream* qui portent la question des droits des femmes sur le plan international mais l'Union soviétique et les pays du tiers-monde qui proposent au début des années 1970 que les Nations unies organisent une « décennie de la femme ». Celle-ci, lancée en 1975, a pour but d'« assurer aux femmes l'accès à la propriété privée et le contrôle de leurs biens, ainsi que l'amélioration des droits des femmes en matière d'héritage, de garde d'enfants et de nationalité », d'affirmer que « le droit des femmes est partie intégrante des droits humains », de « promouvoir l'égalité des sexes et de mettre fin à la violence à l'égard des femmes[41] ». Mais ces objectifs bien modestes vont bientôt être écartés au profit d'une promotion de l'entrée des femmes dans l'ordre néolibéral. Pourtant, les gouvernements des USA se méfient au départ de cette initiative – c'est toujours le contrôle des naissances dans le tiers-monde qui les mobilisent. Ce n'est qu'en 1979, sous le président Carter, que le gouvernement étasunien annonce que « l'objectif principal de la politique étrangère des États-Unis est de faire avancer dans le monde le statut et la condition des femmes[42] ». En France, la création d'un secrétariat d'État chargé des Droits des femmes en 1974 signale que l'institutionnalisation du féminisme est devenue un objectif. Les droits des femmes doivent peu à peu être vidés de leur portée politique. Les choses ne se passent cependant pas exactement comme prévu lors des quatre grandes rencontres de cette décennie – Mexico (1975), Copenhague (1980), Nairobi (1985) et Pékin (1995)[43]. Les gouvernements encouragent la collecte d'informations sur les femmes dans le monde – c'est le début d'un formidable mouvement d'accumulation de chiffres, de rapports, de constitution d'expertes en droits des femmes. À Copenhague, face aux féministes occidentales qui insistent sur la dénonciation de la clitoridectomie, l'infibulation des organes génitaux et d'autres violations des droits humains, des féministes des pays arabes et de l'Afrique subsaharienne dénoncent les qualificatifs « coutumes de sauvages » ou « cultures arriérées » comme dénotant leur volonté d'occidentaliser les luttes de femmes. À Nairobi, la question de la Palestine fait apparaître ouvertement une opposition entre un féminisme décolonial et un féminisme qui ne veut pas se confronter à la colonialité, mais la question des discriminations finit par occuper le devant de la scène. À Pékin, c'est le retour à l'ordre. Le forum alternatif où se pressent des milliers de femmes est situé loin du centre-ville, ses équipements sont en outre totalement inadéquats, alors que pour la rencontre officielle tout est mis en place pour en faire une assemblée de dignitaires. Les négociations gouvernementales se tiennent à huis clos[44]. La machine du féminisme civilisationnel se construit alors que dans le monde la situation des femmes empire. Dans le discours de clôture de cette rencontre de Pékin, Hillary Clinton déclare que les droits des femmes sont des droits humains, mais ils sont envisagés selon le plus pur récit occidental. Tandis que les mouvements d'indépendance mettaient l'accent sur la fin de l'exploitation des ressources du Sud, dénonçaient une organisation de l'information dominée par l'Occident et défendaient leur conception de la santé, de l'éducation, des droits des femmes, ces voix sont marginalisées au profit d'un discours qui ne remet pas en cause les structures du capitalisme et fait des femmes un sujet social homogène. Durant toutes ces années, les pays du tiers-monde, qui tentaient de donner aux droits des femmes un contenu décolonial, subissent de plein fouet les conséquences des programmes d'ajustement structurel. Le Fonds monétaire international et la Banque mondiale se saisissent des droits des femmes et, à la fin des années 1970, la formule

women's empowerment (capacité d'agir des femmes)
est adoptée par le monde politique de la droite à la
gauche, des ONG aux féministes du Nord. Pour
la Banque mondiale, la capacité d'agir des femmes
est le corrélat des politiques de développement
et d'une politique de réduction du taux de naissance[45]. Pour les pays de l'OTAN, les droits des
femmes sont assimilés à leurs valeurs nationales
et intérêts nationaux[46].

Le féminisme civilisationnel des années 1980
hérite de ces cadres idéologiques, il a en fait
contribué à les mettre en place, à leur donner un
contenu. Les programmes d'ajustement structurel promettant développement et autonomie ont
pris un visage féminin. Très vite, alors, cet alibi
est mobilisé lors des campagnes impérialistes.
Si le féminisme comme mission civilisatrice n'est
pas nouveau – il a servi le colonialisme –, il dispose
désormais de moyens de diffusion exceptionnels :
assemblées internationales, soutien d'États occidentaux et postcoloniaux, de médias féminins, de
revues d'économie, d'institutions gouvernementales et internationales, subventions et soutien de
la Banque mondiale, du Fonds monétaire international, de fondations et d'ONG. Les institutions
internationales d'aide au développement font des
femmes le socle du développement dans le Sud
global et bientôt affirment qu'elles sont meilleures
gestionnaires que les hommes de l'argent qui leur

est confié[47], qu'elles savent épargner et qu'elles respectent mieux les contraintes des programmes. Elles sont de bonnes clientes, ce sont donc les femmes qui vont changer le monde. Les femmes du Sud deviennent d'année en année les dépositaires de centaines de projets de développement – ateliers, coopératives où production de produits locaux, tissages, artisanat et couture sont valorisés. Les femmes du Nord sont encouragées à soutenir leurs « sœurs » du Sud en achetant leurs produits ou en ouvrant des boutiques pour les vendre, en se lançant dans l'organisation de programmes afin de renforcer leur autonomie, leur *empowerment*, ou de leur apprendre la gestion… On ne peut nier que des femmes du Sud en profitent, peuvent envoyer leurs enfants à l'école, s'extraire de la misère mais il arrive aussi que ces projets n'entraînent aucun retour, renforcent le narcissisme des femmes blanches si heureuses d'« aider » tant que cela ne bouleverse pas leurs propres vies. Pour la féministe Jules Falquet, « l'*empowerment* des femmes » est mis en place pour répondre à la féminisation de la pauvreté, autrement dit pour parfaire des politiques de pacification et de mise au pas[48]. Pour illustrer cette emprise du vocabulaire des ONG, je me souviens qu'en mars 2018, dans le nord-est de l'Inde, j'ai assisté à une réunion d'une centaine de femmes des tribus du Nagaland, région occupée par l'armée indienne. Ces femmes sont confrontées à la violence de l'armée et des trafiquants, aux viols, à de fort taux d'alcoolisme et de suicide chez les jeunes hommes ; elles tiennent à bout de bras leurs communautés. Pour parler de leurs actions, elles emploient cependant systématiquement le vocabulaire des ONG : *empowerment, capacity building, leadership, governance*[49]. Elles avaient en quelque sorte perdu leurs voix et étaient devenues dépositaires de la langue ONG. C'est à partir de la critique féministe de l'idéologie du soin que j'ai entrevu comment suggérer une critique de cette « langue ». Je leur ai fait remarquer que les ONG les condamnaient à nettoyer et à réparer sans fin les morceaux des vies brisées de leurs communautés mais sans demander des comptes aux vrais responsables. Pourquoi ne passerions-nous pas un peu de temps à comprendre qui avait cassé, et comment avaient été abîmées ces sociétés ? Qui était responsable du désespoir des jeunes ? Qui étaient responsables des viols, des arrestations arbitraires ? Ces femmes avaient les réponses à toutes ces questions mais leurs analyses étaient recouvertes par le discours dépolitisant des ONG qui, certes, devaient faire face à la censure gouvernementale, mais qui la perpétuaient en l'acceptant. En adoptant une théorie du genre qui masque les rapports de force et les choix politiques, les ONG se sont adaptés à la voie étroite que le gouvernement indien impose dans cette région. Encore une fois, il n'est pas question de faire une critique facile de ces politiques mais de continuer à étudier comment non seulement elles dépolitisent mais même contribuent parfois à de nouvelles oppressions. Il faut ajouter à une panoplie extrêmement diverse des techniques de pacification comme le *girl's power* (les femmes demeurent des *girls*) des séries télévisées, des films… Plusieurs de ces séries, films ou articles ne sont pas sans qualité (j'en regarde volontiers) et je ne conteste pas qu'ils puissent représenter d'importants contre-modèles pour des petites filles, des jeunes femmes et des femmes, mais la diffusion massive par de nouveaux médias d'histoires individuelles perpétuent l'illusion que chacune peut accomplir son rêve si elle n'a pas peur de contester certaines normes. Ce sont des récits qui s'appuient souvent sur une psychologisation des discriminations. La lutte est rarement collective, la cruauté et la brutalité structurelles du pouvoir sont rarement montrées de manière explicite. Les héroïnes ont affaire à des individus qui outrepassent leur pouvoir mais ce qui fait structure, ce qui repose sur des mécanismes de domination et d'exploitation élaborés de longue date ayant à leur disposition police, armée, tribunal, État, est à peine effleuré. Ce qu'il faut de courage, d'effort quotidien et d'organisation collective pour faire plier ces structures n'est pas mis en lumière.

Les décennies 1970-1990 voient donc se développer des offensives dont le but est de contrer et d'affaiblir les féminismes de politique décoloniale.

Le féminisme doit devenir raisonnable, ne plus être assimilé aux « pétroleuses », « hystériques », « anti-hommes », « gouines » et « mal baisées » des années 1970. L'ancrage en Europe du « vrai » féminisme et des droits des femmes est réaffirmé à plusieurs reprises, et l'hostilité aux musulman•e•s et aux migrant•e•s offre à ce féminisme l'occasion de manifester son adhésion aux valeurs européennes.

II. L'évolution vers un féminisme civilisationnel du XXIe siècle

Laïcité chérie

Le 27 novembre 1989, paraît dans la presse française une tribune intitulée « Pour la défense de la laïcité. Pour la dignité des femmes », signée par l'association Choisir (dont la présidente est Gisèle Halimi), le Club des égaux et France Plus, appelant à un meeting à la Mutualité. La tribune soutient le « Manifeste lancé aux enseignants » écrit par Élisabeth Badinter, Régis Debray, Alain Finkielkraut, Élisabeth de Fontenay et Catherine Kintzler, paru le 2 novembre précédent, sous forme d'adresse publique à Lionel Jospin, alors ministre de l'Éducation nationale : « Tolérer le foulard islamique, ce n'est pas accueillir un être libre (en l'occurrence une jeune fille), c'est ouvrir la porte à ceux qui ont décidé, une fois pour toutes et sans discussion, de lui faire plier l'échine. Au lieu d'offrir à cette jeune fille un espace de liberté, vous lui signifiez qu'il n'y a pas de différence entre l'école et la maison de son père. En autorisant de facto le foulard islamique, symbole de la soumission féminine, vous donnez un blanc-seing aux pères et aux frères, c'est-à-dire au patriarcat le plus dur de la planète. En dernier ressort, ce n'est plus le respect de l'égalité des sexes et du libre arbitre qui fait loi en France[50]. » L'appel de Choisir reprend les arguments du manifeste sur l'enfermement des femmes musulmanes et du voile comme son symbole : « Pour les femmes, le voile reste le symbole de leur enfermement et du Droit qui les maintient dans l'infériorité et la soumission à l'homme[51]. » Parmi les femmes signataires de l'appel à la défense de la laïcité, on trouve la résistante Lucie Aubrac, la journaliste Madeleine Chapsal, la metteuse en scène Ariane Mnouchkine, les auteures Victoria Thérame et Benoîte Groult, ou la féministe Anne Zelenski puis des organisations comme la LICRA, la Ligue du droit international des femmes, l'Association des femmes journalistes, ou le Mouvement français pour le planning familial – une coalition féministe en quelque sorte. Le choix d'un espace aussi symbolique que la Mutualité (haut lieu des manifestations féministes ou de l'extrême gauche anti-impérialiste dans les années 1970) a quelque chose d'ironique. Mais il faut aussi y voir le signe du mouvement qui s'annonce alors et qui, en s'appropriant des notions, des lieux de mémoire, et des figures historiques des luttes pour l'émancipation, entreprend un travail de pacification. Une déclaration de guerre est lancée contre les femmes racisées, visant plus particulièrement les musulmanes lors du meeting de novembre 1989. Cette offensive initiée voilà presque trente ans et désignant alors sans détour leur ennemi, l'Islam, est toujours d'actualité. Les dirigeantes de la Ligue du droit international des femmes, fondée par Simone de Beauvoir (sous le nom de Ligue du droit des femmes), s'émeuvent dans une lettre de l'aveuglement d'une gauche qui ne perçoit pas que « l'enseignement coranique se double de pratiques moyenâgeuses comme par exemple le mariage forcé de filles très jeunes, parfois impubères, à des vieillards[52] ». Les textes de la Ligue du droit international des femmes sont alors les plus virulents, mêlant la dénonciation du Coran à celle du voile, de l'excision et du mariage des petites filles[53]. Les arguments démontrent la persistance d'un orientalisme, la conviction que « chez nous » (en France) « la femme est l'égale de l'homme » et que dès lors, comme le proclame la députée Louise Moreau lors des débats de novembre 1989 à l'Assemblée nationale, le voile est « un problème politique fondamental qui touche le statut de la femme, notre identité nationale et l'avenir même de notre communauté nationale[54] ». Le bicentenaire de la Révolution française a ironiquement ouvert la voie à un intégrisme laïque teinté d'orientalisme. Tous les « éléments de langage » (pour parler comme ceux qui nous gouvernent) du féminisme civilisationnel se mettent alors en place : d'une part, l'Islam qui impose la soumission à l'homme et le pouvoir absolu du père et des frères, de l'autre, une égalité des sexes inhérente à la culture européenne et à l'école laïque émancipatrice. Le patriarcat n'est désormais plus un terme associé à une forme globale de domination masculine (donc aussi européenne) ; il est consubstantiel à l'Islam. Les féministes européennes s'envisagent non seulement comme l'avant-garde du mouvement pour les droits des femmes mais aussi comme leurs garantes. Elles se présentent comme la dernière ligne de front pour contenir un assaut qui viendrait du Sud et menacerait toutes les femmes. À l'époque, personne ne mesure encore l'ampleur que ce discours va prendre, ni qu'il va devenir un point de convergence entre des forces politiques a priori hostiles les unes aux autres.

Une offensive mondiale contre les Suds et ses sujets de genre féminin

Ce qui émerge en France avec le meeting de novembre 1989 fait partie de la vaste contre-offensive mondiale où intérêts économiques du capitalisme, programmes d'ajustement structurel, de délocalisation et de désindustrialisation, politiques de contrôle des naissances, reconfiguration du monde après le premier « choc pétrolier » de 1973, défaite des États-Unis au Vietnam en 1975 et « chute du mur de Berlin » (novembre 1989) font système. En 1989, la

France célèbre le bicentenaire de la Révolution française et accueille la rencontre des sept pays les plus riches, le G7 : ces cérémonies offrent le spectacle d'une globalisation heureuse et, dans le contexte d'un révisionnisme idéologique dont l'historien François Furet s'est fait le porte-parole, les droits de l'homme viennent remplacer les demandes de justice, de liberté et d'égalité. La grande parade sur les Champs-Élysées, intitulée « La Marseillaise », mobilise 6 000 artistes et figurants pour mettre en scène douze tableaux vivants qui présentent chacun une « tribu planétaire » identifiée par un signe « culturel » : des Africains à moitié nus dansant au son des tamtam, des Anglais sous une pluie artificielle, des Soviétiques marchant au pas sous une neige de papier projetée par un camion, des femmes vêtues de robes à panier portant dans leurs bras des enfants de tous les pays... Dans le même temps, un événement est organisé par la Ligue internationale pour les droits et la libération des peuples (qui organise le Tribunal permanent des Peuples), à la Mutualité – il est alors complètement éclipsé par les réjouissances du G7. Le rencontre intitulée « 1er Sommet des sept peuples parmi les plus pauvres » s'inscrit dans la lignée de la Déclaration universelle des droits des peuples adoptés à Alger en 1976 ; en 1989, il s'agit d'appeler à l'annulation de la dette du tiers-monde. La Déclaration finale, adoptée le lendemain du 14 juillet 1989, est destinée aux chefs d'État du G7. Elle affirme : « C'est pourquoi, nous fondant sur la déclaration universelle des droits des peuples, proclamée le 4 juillet 1976 à Alger, nous déclarons solennellement que nous contestons aux "Grands" de la terre le droit de confisquer aujourd'hui le message de la Révolution française. En ce jour de fête de la liberté, nous considérons comme hypocrite et même suicidaire, de parler de justice et de bien-être, alors même que le monde s'enfonce dans l'inégalité et que les peuples sont massivement marginalisés […]. Nous dénonçons le monopole décisionnel des riches, par principe, en raison de son caractère anti-démocratique, mais tout autant du fait de ses conséquences concrètes. Les riches veulent que le système redémarre, que le profit soit restauré ; ils imposent aux pauvres de ne pas entraver cette "reprise" même si elle aggrave les inégalités ; ils affirment que les plus pauvres y trouveraient eux aussi leur avantage à terme, grâce au succès des plus forts[55]. » Deux discours et deux objectifs s'affrontent : l'un promet une globalisation heureuse et une réunion harmonieuse des « tribus » de la planète sous l'égide des droits de l'homme, l'autre promet la poursuite du combat contre l'axe Nord-Sud, contre l'exploitation des richesses du Sud pour le bien-être du Nord, et en faveur des droits qui assurent l'accès à la santé, l'éducation et la terre. Pour l'un, les célébrations de la Révolution française doivent contribuer à enterrer définitivement ce qu'elle a pu contenir de radical ; pour l'autre, les idéaux révolutionnaires continuent à être d'actualité. Toute une gauche européenne, et avec elle le féminisme civilisationnel, s'engouffre dans l'agenda humanitaro-libéral. Ce féminisme y voit l'occasion d'être enfin admis dans les sphères du pouvoir. La lutte est désormais culturelle et l'ennemi tout désigné, l'Islam. La configuration mondiale offre au féminisme civilisationnel l'élan pour accompagner la contre-offensive et donner aux droits des femmes un accent néolibéral.

L'enrôlement des femmes
dans la mission civilisatrice à l'ère libérale

Un mois auparavant, le 24 octobre 1989, le Mouvement français pour le planning familial (MFPF) a publié un texte dans lequel le voile est décrit comme un « symbole religieux », et « surtout un signe de discrimination sexiste et un symbole de soumission ». Dans les années 1970, des groupes de femmes et des féministes avaient développé des thématiques puissamment émancipatrices, malgré toutes leurs limites : la dénonciation de l'autoritarisme religieux mais pas de la religion en tant que telle, l'analyse des sources des discriminations et des mécanismes qui structurent la soumission des femmes à l'ordre hétéropatriarcal, les liens entre État, capital et sexisme. Après la chute du Mur, ces élaborations sont caricaturées et réduites à des incantations sur la laïcité, les dangers du voile, l'oppression par les frères et les pères musulmans, etc. Par cette régression, le féminisme civilisationnel trouve une place au sein du « nouvel ordre mondial ». Cette transformation du féminisme constitue un symptôme de la « fin de l'histoire ».

La mission féministe civilisatrice est claire : les femmes européennes partent en croisade contre la discrimination sexiste et les symboles de soumission qui persistent dans des sociétés hors de l'Europe de l'Ouest ; elles se présentent comme l'armée qui protège le continent de l'invasion d'idées, de pratiques, de femmes et d'hommes menaçant leurs acquis. Le récit est évidemment mensonger. Il leur a fallu dépolitiser les luttes des femmes des années 1970, en écarter celles des femmes dans le tiers-monde, effacer l'apport du féminisme noir. La liberté individuelle – m'habiller comme je veux (sauf pour porter le voile) – devient le symbole des luttes des années 1970 ; c'est évidemment une insulte aux luttes des femmes ouvrières, des femmes immigrées, des femmes réfugiées politiques. Le combat du féminisme civilisationnel devient un combat universel du bien contre le mal. Le MFPF poursuit : « Nous appelons à la clairvoyance nos sœurs musulmanes dont nous connaissons le courage. Courage que manifestent si souvent les adolescentes et les jeunes femmes déchirées entre leur besoin de libération du joug masculin et leur désir de rester au sein de leur communauté culturelle[56] ». Cette déclaration met en scène la colonialité d'une sororité qui, outre la naturalisation d'une culture, prend la place de la grande sœur, une posture qui n'est pas sans rappeler le « fraternalisme » de la gauche communiste française dénoncé par Aimé Césaire dans sa lettre de démission à Maurice Thorez en 1956 – frère certes, mais grand frère. La soumission millénaire de la femme musulmane, la laïcité comme principe de la liberté des femmes, l'Islam comme carcan communautaire, la « culture musulmane » ou « islamique » comme ennemie des petites filles et des jeunes femmes, les femmes musulmanes comme potentielles alliées et complices de la mission civilisatrice féministe deviennent des idéologies largement adoptées par des mouvements féministes, le monde de l'économie, l'extrême droite et les États.

Le meeting de novembre offre des arguments aux débats qui ont lieu au même moment à l'Assemblée nationale française sur le port du voile à l'école. La députée de droite à Paris Michèle Barzach, future ministre de la Santé (1986-1988), les reprend, fidèle à la politique coloniale définie par Fanon : « Ayons les femmes et le reste suivra. » « Seules les femmes pourront permettre l'intégration de la population musulmane car ce sont elles qui font sauter les verrous de la tradition et repoussent le poids des abus de cette tradition quand ils existent[57] » déclare-t-elle. Cet argument est aussitôt repris par Michèle André, secrétaire d'État chargée des Droits des femmes dans le gouvernement socialiste de Michel Rocard, qui dénonce dans la même phrase mariages forcés, excision et soumission d'adolescentes « de douze à quinze ans » à la « loi des pères et des frères[58] ». La loi des pères et des frères (les mères n'existent pas ou alors comme figures silencieuses et soumises à la loi des maris et des fils) est naturalisée comme un fait culturel. Les hommes musulmans seraient plus durs, plus impitoyables, plus dominateurs que n'importe quels autres hommes. L'intégration des femmes musulmanes dans les sociétés occidentales dites démocratiques est dès lors mesurée par la capacité à leur faire accepter de s'éloigner de leurs familles et de leurs communautés et de participer à leur stigmatisation. C'est un tournant idéologique. Dès le début des années 1990, la Banque mondiale prône le microcrédit pour les femmes tandis que, pour les instances internationales, le contrôle des naissances aux Suds continue à être central. La Conférence de 1994 sur la démographie au Caire entérine ces deux pratiques et le microcrédit devient la solution universelle à la pauvreté des femmes (causée par les ajustements structurels). Mohamed Yunus, « père » du microcrédit, « banquiers des pauvres », reçoit le prix Nobel de la paix en 2006[59]. Son « œuvre » donne lieu à une campagne mondiale sur le renforcement de la capacité d'agir des femmes par l'emprunt bancaire. Les femmes du Sud global sont alors désignées comme des proies faciles pour les politiques de développement.

Ces campagnes qui participent à une offensive idéologique contre la longue histoire des luttes anticoloniales sont à l'initiative d'une gauche qui les avait soutenues (mais souvent tardivement et du bout des lèvres). Aux yeux d'une partie de la gauche française, la guerre pour l'indépendance de l'Algérie constituait désormais un chapitre glorieux de son histoire mais elle déplorait aussitôt que, faute d'avoir adopté la démocratie européenne, les Algériens condamnaient inévitablement les femmes à l'enfermement. Il en était de même, disait cette gauche, de toutes les luttes de libération dans le Sud; elles avaient échoué à libérer les femmes. Les féministes furent les premières à souligner cet échec, et ce en s'appuyant souvent sur des témoignages de femmes du Sud. Mais l'opération qui consista à en faire strictement une question de patriarcat traditionnel au Sud contre un patriarcat moderne au Nord infléchit cette critique et lui donna un sens civilisationnel. Tout le travail du féminisme hégémonique a dès lors consisté à démontrer que cette situation était le fruit d'un anticolonialisme naïf. L'idée d'une supériorité européenne reprit ainsi sa place et l'argument selon lequel les indépendances avaient « renvoyé les femmes à la cuisine » devint familier. Toute critique de cette position fut assimilée à un « relativisme culturel ». Il aurait pourtant suffi de lire les critiques féministes décoloniales sur les positions des gouvernements postcoloniaux pour apprendre en quoi consiste une analyse féministe[60].

Au début des années 2000, le féminisme civilisationnel en France, qui s'est institutionnalisé, reste focalisé sur les discriminations de genre. Si ce féminisme convient aux femmes qui ont accédé à des postes de cadres, c'est, l'INSEE lui-même le signale, que « le développement de ces emplois de service, souvent assurés autrefois dans la sphère domestique, a d'ailleurs été une condition de l'accès des femmes aux postes les plus qualifiés, en élargissant les possibilités de garde d'enfants, de prise de repas à l'extérieur du domicile… Alors que les inégalités entre sexes régressent très progressivement, se sont ainsi ajoutées de nouvelles formes d'inégalités entre les femmes elles-mêmes : d'un côté, les femmes bénéficiant d'une carrière intéressante et bien rémunérée, pouvant concilier le modèle masculin de réussite professionnelle avec la vie de famille et les contraintes domestiques, de l'autre celles qui connaissent la précarité de l'emploi, le temps partiel contraint, les bas salaires et qui ne peuvent se faire aider dans la sphère domestique[61] ». La focalisation sur le voile évite d'avoir à se confronter à cette contradiction. En 2004, le Parlement français vote la loi contre le voile islamique à l'école, et bientôt de plus en plus de gouvernements européens multiplient les mesures et les lois visant les femmes musulmanes. L'offensive se poursuit contre les féminismes de politique décoloniale et en Europe des militantes décoloniales sont insultées, menacées, traînées au tribunal, les accusations de racisme « anti-Blanc » et d'antisémitisme sont lancées pour faciliter la censure des mouvements décoloniaux et des voix des féministes afro ou musulmanes. En deux décennies, les objectifs de la mission civilisatrice féministe lancée en 1989 à Paris sont devenus ceux des gouvernements ; la croisade européenne contre l'Islam signe la défense des droits des femmes.

Les femmes racisées sont acceptées dans les rangs des féministes civilisationnelles à la condition qu'elles adhèrent à l'interprétation occidentale du droit des femmes. Aux yeux de leur idéologie, les féministes du Sud global restent inassimilables car elles démontrent l'impossibilité de résoudre en termes d'intégration, de parité et de diversité les contradictions produites par l'impérialisme et le capitalisme. Le féminisme contre-révolutionnaire prend alors la forme d'un fémonationalisme, d'un fémo-impérialisme, d'un fémo-fascisme, ou de *marketplace feminism* (féminisme du marché[62]). Ces féminismes qui n'ont pas toujours les mêmes arguments et représentations trouvent cependant un point de convergence : ils adhèrent à une mission civilisatrice qui divise le monde entre cultures ouvertes à l'égalité des femmes et cultures hostiles à l'égalité des femmes.

À l'issue de ce qui est présenté dans les médias comme une attaque sexiste dictée par la culture et la religion musulmanes contre des femmes blanches à la gare de Cologne le 31 décembre 2015, Alice Schwarzer, grande figure du féminisme allemand des années 1970, amie de Simone de Beauvoir, déclare que désormais « l'antiracisme prime sur l'antisexisme[63] ». Elle dénonce une « sorte d'"amour pavlovien de l'étranger" qui n'est en réalité que l'autre face de la haine de l'étranger » et affirme : « Nous ne voulons pas perdre nos droits si durement acquis ! » Pour Schwarzer, ce sont les musulmans qui menaceraient les acquis féministes. Pourtant, ni les menaces sur les lois sur l'avortement et la contraception, ni l'exploitation des femmes racisées et des femmes migrantes, ni la systématisation du travail partiel sous-payé et sous-qualifié pour les femmes en Europe n'ont été le fait des musulmans. Schwarzer n'hésite pas à recourir au souvenir d'un événement traumatique en Allemagne (le viol des femmes allemandes par les soldats soviétiques, pourtant perpétrés avec la même férocité par les soldats américains) quand elle dit : « pour la première fois depuis la Seconde Guerre mondiale, des femmes étaient victimes d'une violence sexuelle massive et organisée au cœur de l'Europe[64] ». Autrement dit, les hommes musulmans de 2015 sont les héritiers des soldats soviétiques venus d'un Orient sauvage et brutal. Ce sont les « islamistes » qui sont aujourd'hui les coupables de viols, qui « éprouvent du plaisir à transformer leur frustration et leur chômage en sentiment de supériorité envers les "infidèles" et qui prennent du plaisir à humilier les femmes[65] ». Dans une interview, Schwarzer montre à quel point l'argument des féministes civilisationnelles françaises sur le voile est au fondement de la nouvelle mission civilisatrice quand elle écrit que le « voile est le drapeau et le symbole des Islamistes » qui « poursuivent une croisade au cœur de l'Europe depuis les années 1980 »[66]. Khola Maryma Hubsch a beau jeu de dénoncer l'islamophobie de Schwarzer, son chauvinisme culturel et la proximité de ses points de vue avec ceux de l'extrême droite[67].

L'inclusion libérale

Le capitalisme n'a aucune hésitation à faire sien le féminisme *corporate* (celui qui demande l'intégration dans leur monde) ou le discours des droits des femmes d'après lequel les inégalités entre femmes et hommes sont une question de mentalités, de manque d'éducation plutôt que de structures oppressives. Non pas que la transformation des mentalités et qu'une éducation antiraciste et antisexiste soient négligeables, loin de là, mais il faut dénoncer l'obstination à ne pas admettre qu'il s'agit de structures, que sans racisme le capitalisme racial s'effondre et avec lui tout un monde construit sur l'invisibilisation, l'exploitation, la dépossession. Cette idée que le monde changerait si nous changions de mentalités, si nous apprenions à accepter les différences, repose sur une conception idéaliste des rapports sociaux. Mais cette idée séduit parce qu'elle nous évite d'agir sur ces structures. On comprend alors le succès planétaire de *We Should All Be Feminists* de Chimananda Ngozi Adichie, traduit en français par *Nous sommes tous des féministes*[68]. L'ouvrage propose un féminisme inclusif pour le XXIe siècle en démontrant que la division de genre femmes/hommes n'est pas sans effet sur les hommes. Les normes de la masculinité hétéronormée sont effectivement contraignantes, devenir un homme signifie souvent devoir se soumettre à toute une série d'injonctions contradictoires et répressives à l'égard des sentiments, des désirs, et des corps. La critique du corps viril, militarisé, dur, qui ne doit montrer aucun signe de féminité (associée à la faiblesse), rencontre une plus large audience aujourd'hui, et les études sur la masculinité viriliste croisent souvent celles sur la suprématie blanche et le capitalisme. L'homme blanc (une autre invention de la colonie) constitue un puissant outil de contrôle racial et l'analyse de la colonialité du genre ne peut se dispenser de porter son regard sur les diverses masculinités. Mais des obstacles structurels s'opposent à l'égalité, déjà entre toutes les femmes, puis entre tous les hommes. Le féminisme inclusif souhaité dans *Nous sommes tous des féministes* se révèle irréalisable puisque toutes les femmes ne sont pas égales, tous les hommes ne sont pas égaux ; donc de quels hommes les femmes devraient-elles aspirer à être les égales ? Le racisme et la division en classes sociales, et les deux se combinent, s'y opposent. En d'autres termes, l'argument de *Nous sommes tous des féministes* est fallacieux pour deux raisons. D'une part, il propose une idée du féminisme inclusif qui occulte toute la critique des féminismes noir et décolonial. Ces derniers se proposent justement de libérer *toute* la société et non de se « séparer » des hommes. D'autre part, un tel argument réduit le féminisme à un simple changement des mentalités valable pour toutes les femmes et tous les hommes en tout temps et en tout lieu. Dans son magnifique ouvrage, *In the Wake. On Blackness and Being*, Christina Sharpe revient sur cet impensé à plusieurs reprises, car le féminisme blanc bourgeois n'a jamais accompli sa décolonisation. Sharpe cite Saidiya Hartman, qui dans une conversation avec Frank Wilderson parle « d'un tabou structurel (plutôt qu'un refus délibéré) à ce que les Blancs s'allient avec les Noir•e•s en raison de la division de l'espèce humaine entre celles et ceux qui sont des sujets et celles et ceux qui sont des objets : un antagonisme structurel[69] ».

Fémonationalisme, natalité et BUMIDOM

L'une des déclinaisons de ce conflit structurel est l'essor du fémonationalisme[70]. Pour Sara Farris, à l'origine de ce terme, le fémonationalisme décrit l'exploitation de thèmes féministes par des nationalistes et des néolibéraux islamophobes (qui peuvent être dans le même temps anti-immigration) et la participation de féministes ou de « fémocrates » à la stigmatisation des hommes musulmans. Farris utilise aussi la notion de « nationalisme fémocratique[71] ». En analysant cette convergence, Farris étudie d'une part les campagnes de politiques xénophobes et racistes soutenues au nom de l'égalité de genre par des partis d'extrême droite en Europe occidentale et celles des néolibéraux et, d'autre part, l'engagement de féministes et de fémocrates de premier ordre pour désigner l'Islam comme une religion et une culture misogynes par nature[72]. Les campagnes fémoniationalistes sont, précise Farris, inséparables de la reconfiguration du travail dans les années 1980, particulièrement dans l'industrie du soin à la personne. Afin de faciliter l'entrée des femmes migrantes et musulmanes dans ce marché, le fémonationalisme développe l'argument suivant : ces femmes – essentiellement musulmanes – doivent être sauvées de la domination masculine dont la brutalité est inhérente à leur culture, et leur émancipation ne peut émerger que si elles sont encouragées à entrer dans le marché néolibéral du travail. Les métiers qui les attendent – femmes de ménage, prise en charge des personnes âgées, garde d'enfant ou employées dans l'industrie de services de nettoyage – sont supposés leur faire gagner de l'autonomie et permettre aux femmes des classes moyennes européennes d'accéder à une vie professionnelle. Les féministes blanches, qui soutiennent ces campagnes, trouvent naturel d'inciter des femmes à occuper des fonctions que le féminisme, en son temps, a dénoncé comme aliénantes et que la domination masculine a réservé aux femmes. Elles trouvent parfois des alliées parmi les femmes racisées qui jouent le rôle de *native informant*, de médiatrice, de traductrice du vocabulaire néolibéral dans un langage qui insiste sur les notions de choix individuel et de liberté. S'il ne faut pas négliger la diversité des destins parmi les femmes migrantes, leur capacité à s'autonomiser et à échapper aux injonctions du fémonationalisme et du féminisme blanc, leur enrôlement forcé dans le renouveau du racisme et des identités nationales (blanches) demeure un fait majeur et structurant. Je voudrais cependant suggérer que la date identifiée par Farris comme naissance du fémonationalisme, les années 2000 dans la France hexagonale, pourrait être amendée. En effet, un fémonationalisme est déjà discernable dans les années 1960. À l'époque, il se trouve qu'une droite procoloniale répressive dans les DOM et les gouvernements soutiennent la migration des jeunes et le contrôle des naissances, tandis que la société métropolitaine se modernise. Si le féminisme en métropole prend quelques initiatives pour écrire sur la situation des femmes aux Antilles[73], il faut dire qu'il aborde la question de la « masculinité antillaise » sous un angle qui psychologise l'esclavage. Dans les années 1960, la société française se modernise sur le refoulement de son passé colonial[74]. La métropole a besoin d'une main-d'œuvre féminine pour remplir les postes de catégorie C dans la fonction publique – hôpitaux, crèches, hospices, maternelles. L'accès d'un plus grand nombre de femmes blanches à une vie professionnelle (hors usine) exige que soient prises en charge par des femmes racisées des fonctions de la reproduction sociale – soins aux enfants, ménage, cuisine – et les familles de la classe moyenne veulent des domestiques. Pour répondre à ces besoins, le gouvernement crée une institution de l'État, le BUMIDOM[75], qui organise l'émigration des jeunes des Antilles, de la Guyane et de La Réunion. Mais, alors que dans les premières années l'effort est mis sur le recrutement d'hommes, le BUMIDOM vise bientôt prioritairement les femmes[76]. L'organisation recherche des « candidates à une implantation en métropole et à un placement direct en qualité d'employée de maison », indiquant : « L'emploi de maison peut également être considéré comme un moyen pour la jeune fille courageuse, possédant un certain degré d'instruction, de s'adapter à la vie métropolitaine dans un cadre familial et de profiter de ses heures de liberté pour compléter ses connaissances et préparer les examens ou concours qui lui ouvriront les portes des autres professions[77]. » Le BUMIDOM met l'accent sur le gain des femmes antillaises et réunionnaises en autonomie et en formation professionnelle. Stéphanie Condon, qui a étudié la migration féminine des Antilles, décrit « une concentration des emplois féminins dans un petit nombre de secteurs, avec la moitié des femmes concentrées dans des emplois des services publics ; hôpitaux, services sociaux, PTT, secteurs où les emplois "féminins" sont nombreux[78] ». Très rapidement, le nombre de femmes antillaises recrutées par le BUMIDOM augmente : en 1962, « les femmes antillaises en métropole étaient 16 660 et les hommes, 22 080, en 1968, les effectifs respectifs étaient 28 556 et 32 604. Au recensement de 1968

on compte 13 736 femmes et 15 152 hommes ins-
tallés en métropole depuis 1962[79] ». L'organisation
de l'émigration d'une main-d'œuvre féminine
répond alors non seulement aux demandes créées
par la réorganisation du capitalisme en France,
mais aussi à la réorganisation sociale et politique
dans les outre-mer. Ce que je veux suggérer ici,
c'est qu'une forme de fémonationalisme émerge
en France dans un moment de réorganisation de
son espace racialisé, une fois l'Algérie devenue
indépendante. Les bases du fémonationalisme des
années 2000 sont donc posées dès les années 1960.
L'impensé des féministes métropolitaines sur le
moment « postcolonial » – dans lequel refoulement du passé colonial/racial et réorganisation du
capitalisme s'entrecroisent est de longue date.

Contrôle des migrations et contrôle des naissances,
organisation d'une main-d'œuvre mobile, racia-
lisée et féminine restent au XXIe siècle au cœur
des politiques néolibérales qui ont reçu l'aval des
féministes civilisationnelles. Comme celle de la
Fondation Gates qui promet de faciliter l'accès
à de l'information contraceptive pour 120 millions de femmes des pays les plus pauvres d'ici
2020, en favorisant la distribution de nouvelles
technologies, notamment les implants hormo-
naux (Norplant, Sinoplant, Jadelle que l'on insère
dans le bras) ou que l'on injecte (Depo Provera,
Noristerat injectés profondément dans les muscles

fessiers pour une libération plus lente[80]). Les pays les plus visés sont l'Inde, le Nigeria et le Brésil, où le taux de stérilisation des femmes noires est élevé (42 % des femmes).

Le renforcement du féminisme civilisationnel était prévisible. Si sa première vie s'est déployée à l'heure du colonialisme esclavagiste et post-esclavagiste, la période postcoloniale en France a redonné vigueur. En faisant sienne la fiction selon laquelle le colonialisme a pris fin en 1962, le féminisme s'est leurré sur l'existence d'un vaste territoire « ultramarin » issu de la période escla-vagiste et postesclavagiste comme de la présence en France de femmes racisées. Il devient alors une idéologie complice des nouvelles formes du capitalisme et de l'impérialisme, demeure silen-cieux sur les interventions armées de la France dans ses anciennes colonies du continent africain comme sur les nouvelles formes de colonialité et de racisme d'État dans les « outre-mer » et en France.

La récupération du récit militant

Une des armes idéologiques du féminisme civi-lisationnel à la fin des années 1980 réside dans la pacification de figures militantes et la réécri-ture de nos luttes. Il ne s'agit plus pour l'État, ses institutions et les partis politiques de contester l'existence des luttes émancipatrices : l'opération la plus courante consiste désormais à intégrer quelques figures soigneusement sélectionnées et à les « blanchir » – dans tous les sens du terme. Cette pacification a été opérée à propos de 1968, et ceux qui sont passés « du col Mao au Rotary Club » sont désormais accueillis dans les couloirs du pouvoir. L'aspect multiforme du Mouvement de libération des femmes (MLF)[81] a ainsi perdu de sa portée. Bien que son nom ait été emprunté aux mouvements de décolonisation, le mouvement a refoulé ce qu'il devait aux luttes antiesclavagistes et anticolonialistes. Il faut se souvenir que l'appellation « Mouvement de libération des femmes » a été choisie parce que le terme « féministe » n'était pas hégémonique à l'époque. Pour des groupes, notamment de féministes marxistes ou proches de l'extrême gauche anti-impérialiste et du Parti communiste, le terme était associé à une position bourgeoise aveugle à la question sociale ; pour d'autres, il négligeait la question de l'inconscient[82]. D'autres groupes encore défendaient une approche politique des luttes de femmes, développant une critique de l'État patriarcal et impérialiste, manifestant une compréhension aiguë de la dimension sociale de la vie des femmes ; d'autres courants se concentraient plutôt sur la dénonciation de l'hétéronormativité. À partir de la seconde moitié des années 1970, des groupes de plus en plus nombreux de femmes racisées ont vu le jour[83]. Enfin, en France comme en Italie, des féministes blanches attaquaient avec force la focalisation sur les luttes légales (avortement, contraception, viol), car elles signifiaient s'en remettre à un État patriarcal et à une justice de classe. La structure raciale de l'État, de la justice ou de la médecine n'était cependant toujours pas remise en cause. Pour devenir un mouvement légitime et non une idéologie marginale, pour être admis dans les couloirs du pouvoir, pour convaincre État et capital qu'il existait un féminisme qui non seulement n'était pas une menace, mais pouvait devenir une arme idéologique et politique, le féminisme civilisationnel devait transformer le féminisme militant en remplaçant son adversaire d'alors (le patriarcat blanc, l'État et le capital) par l'Islam. Il s'agit donc en France de transformer le MLF, déjà affaibli du fait de l'institutionnalisation opérée par le gouvernement socialiste en 1981 du Parti socialiste, en un mouvement féministe qui revendique la parité, qui aspire à la libération sexuelle la plus banale tout en exigeant la répression des travailleur•se•s du sexe, et en faisant du bikini et de la minijupe les symboles de sa libération. C'était évidemment effacer les mouvements de femmes dans les usines, les mouvements lesbiens et queer, et les féministes anti-impérialistes, mais l'opération était nécessaire pour redonner un peu de lustre à l'idéologie néolibérale qui avait besoin de se distinguer d'un patriarcat trop encombrant, d'autant plus qu'il était associé à la droite.

Cette adaptation du féminisme se joue aussi dans la réécriture du grand récit militant. Il peut par exemple s'agir de présenter une militante radicale, insultée et diffamée de son temps, longtemps sans travail à cause de son militantisme, en dame sage, en couturière timide avec son petit sac, qui affronte seule des méchants, soit Rosa Parks. Cette transformation opère plusieurs effacements, d'une lutte collective, de la personnalité d'une militante et de la structure raciste de l'État nord-américain. La lutte collective a pourtant été essentielle au développement du mouvement de l'antiracisme politique dans les années de la ségrégation nord-américaine. En 1955, le Women's Political Council (WPC) est créé pour mobiliser les femmes noires dans le Sud. C'est ce mouvement qui lance l'idée d'un boycott des bus ségrégués et, le 1er décembre 1955, Rosa Parks refuse de s'asseoir dans la partie réservée aux Noir•e•s dans les bus de Montgomery. Les semaines de boycott sont possibles grâce à la longue préparation accomplie notamment par des femmes. L'apport du WPC est tout aussi fondamental dans la réussite de la Marche sur Washington en 1963 : les militantes réservent des bus, préparent la nourriture, impriment le texte de chants de lutte pour chasser l'ennui des longs trajets et galvaniser les manifestants, elles organisent les relais, elles sont les « petites mains » de la manifestation, elles font le travail que les femmes font partout dès qu'il s'agit de mobiliser sur le terrain. Pourtant, les organisateurs de la Marche refusent obstinément que l'une de ces militantes prenne la parole à Washington ; devant les protestations, ils finissent par accepter que certaines d'entre elles soient assises dans les tribunes et qu'un « Tribute to Negro Women Fighters for Freedom » soit organisé, il sera dit par un homme, A. Philip Randolph. Seule Daisy Bates, qui était à l'origine du mouvement contre la ségrégation dans les écoles de Little Rock, dans l'Arkansas (conduisant à la décision fédérale de 1954 prononçant la déségrégation de toutes les écoles), est finalement autorisée à prendre la parole[84]. Dans la marche, les dirigeantes noires sont assignées à un rôle mineur, derrière les hommes, aux côtés des épouses de dirigeants. Aucune n'est invitée à se joindre à la rencontre avec le président Johnson. Pour ces femmes, le « double handicap de la race et du sexe » (*double handicap of race and sex*) ou le système « Jane Crow », comme l'a appelé Pauli Murray, les convainc, s'il le fallait, que « la femme noire ni ne peut ni ne doit reporter ou subordonner la lutte contre les discriminations dues au sexe à la lutte pour les droits civiques mais mener les deux de front et simultanément[85] ». L'apport de ces femmes reste pourtant marginal dans le récit des luttes pour les droits civiques, devenu un mouvement pacifiant plutôt que pacifique où la figure individuelle de Rosa Parks héroïsée selon les codes de la narration dominante, et vidée de son militantisme, prend une place hégémonique. C'est ainsi qu'après un long processus de pacification Rosa Parks peut devenir une figure de l'exceptionnalisme nord-américain où les erreurs sont réparées grâce aux « valeurs américaines » de *decency* et de *fairness*. Elle entre au Panthéon américain à la condition d'être « blanchie » et séparée de sa communauté militante. C'est d'autant plus ironique que Rosa Parks était une militante de longue date, proche de communistes noirs nord-américains[86]. Sa statue est inaugurée au Congrès une fois que ce blanchiment est accompli. C'est une fois débarrassées de leur féminisme radical et de leur militantisme que des femmes peuvent devenir des figures de l'histoire nationale. Ce qui est arrivé à Rosa Parks est aussi arrivé à Coretta Scott King, pourtant connue pour son opposition à la guerre du Vietnam et son militantisme radical – on ne la retient que comme épouse dévouée de Martin Luther King Jr. Quand la dépolitisation des militantes n'est pas possible, elles sont décrites comme des viragos, des extrémistes inassimilables, des femmes indignes de leurs époux (devenus entre-temps icônes), ou bien elles sont tout simplement condamnées à la disparition. Parmi les noms oubliés ou marginalisés, qu'il faut encore invoquer sans cesse, citons Claudia Jones : militante communiste, elle a proposé une articulation pionnière entre émancipation des femmes et émancipation socialiste, a été la cheville ouvrière de la campagne en soutien aux Scottsboro Boys (de jeunes Noirs faussement accusés de viol et menacés de lynchage), et s'est vu retirer la citoyenneté américaine après deux séjours en prison[87]. On peut aussi mentionner Winnie Mandela, toujours négativement comparée à son mari devenu un saint pour l'Occident (qui oublie qu'il l'a longtemps traité en terroriste) ; pensons aussi à Djamila Bouhired, moins assimilable que Djamila Boupacha, car il a été impossible d'en faire une victime. Bouhired a toujours affirmé sa fierté d'avoir participé à la lutte armée contre l'État français. N'oublions pas non plus la plus jeune victime du 17 octobre 1961, Fatima Bedar, morte à dix-sept ans.

Temps et récit du féminisme selon l'État

Faire d'une militante une héroïne de la démocratie occidentale contribue à masquer les inégalités qui perdurent et à faire du racisme une maladie de quelques-un•e•s. Le racisme et le sexisme ne sont alors pas des éléments structurels, mais des accidents réparés grâce au courage d'individu•e•s. Le crime n'est qu'un moment d'égarement. Cette pacification de notre passé militant contribue à notre domination au présent. En effet, le pouvoir se sert de cette narration pour faire la leçon à des mouvements plus récents. Les normes de la respectabilité sont édictées pour étouffer la colère, pour la rendre indigne. Dès lors, il existe des « sujets dignes de se défendre et d'être défendus[88] ». Cette stratégie d'effacement façonne des icônes dépossédées de leur propre combat et séparées des collectifs dont elles étaient membres, pour en faire des héroïnes calmes, douces et paisibles. Notons qu'en Europe il n'a pas encore été nécessaire de procéder ainsi puisque aucune femme racisée n'appartient à son Panthéon. Et en France, le processus de pacification des femmes racisées militantes n'a pas lieu d'être car il faudrait déjà qu'elles existent[89]. En revanche, des hommes noirs ont été reconnus par l'État français mais au prix de leur blanchiment. Aimé Césaire est entré au Panthéon comme l'auteur du *Cahier d'un retour au pays natal* et non du *Discours sur le colonialisme*. En effet, ce texte dénonce le racisme et propose une analyse de l'effet-retour de l'esclavagisme et du colonialisme en France qui résonne avec notre présent. De même, la phrase de Frantz Fanon : « Je ne suis pas esclave de l'esclavage qui déshumanisa mes pères » a pu être placée en tête des célébrations du 150e anniversaire de l'abolition de l'esclavage dans les colonies françaises en 1998 : tout son message révolutionnaire était oblitéré et la phrase tirée de son contexte prônait un message de réconciliation avant même que les réparations ne soient discutées. Devons-nous alors désirer cette entrée dans leur Panthéon, désirer cette intégration, aspirer à « en être » alors que le cadre de leur récit n'a pas changé et que la place accordée reste mineure ? La tentation est en effet grande de se battre pour l'inclusion de « chapitres oubliés ». J'y ai moi-même cédé, mais j'ai vite mesuré les limites de cette stratégie, car si le cadre théorique de l'écriture de l'histoire ne change pas, il est pratiquement certain que ces chapitres ne seront inclus qu'au prix de la perte de leur puissance de transformation du monde : il serait cadré par les frontières géographiques et narratives du récit national.

Au lieu d'adopter le cadre du récit colonial, que le féminisme civilisationnel chérit tant, il nous faut sans relâche nous ressaisir des récits de lutte des femmes esclaves et des femmes marronnes qui révèlent l'existence d'un féminisme antiraciste et anticolonial dès le xvie siècle. On pourrait m'opposer qu'aucune de ces femmes ne se disait féministe ; que les notions d'antiracisme et d'anticolonialisme sont arrivées bien plus tard. Mais si Marie Wollstonecraft, philosophe, auteure de *Vindication of the Rights of Women* en 1792, et Olympe de Gouges, auteure de la *Déclaration des droits de la femme et de la citoyenne*, abolitionniste, montée à l'échafaud le 3 novembre 1793 pour ses idées, méritent le nom de féministes, alors Sanité Belair, révolutionnaire et officier de l'armée haïtienne, fusillée le 5 octobre 1802 par l'armée napoléonienne chargée de rétablir l'esclavage, Queen Nanny en Jamaïque, la marronne

Un féminisme décolonial

Héva à La Réunion, ou la Mulâtresse Solitude, qui participa à l'insurrection contre les troupes napoléoniennes à la Guadeloupe, le méritent tout autant. Réécrire l'histoire des femmes, c'est suivre le chemin ouvert aux États-Unis, en Amérique centrale et du Sud, en Afrique, en Asie, et dans le monde arabe, pour mettre au jour les contributions des femmes indigènes, des femmes noires, des femmes colonisées, des féminismes antiracistes et anticoloniaux.

Solidarité ou loyauté avec les hommes racisés

Les récits occidentaux n'ont pas été les seuls à effacer les femmes en lutte. Les mouvements révolutionnaires ont pris leur part en célébrant des figures masculines ou en faisant des femmes des héroïnes silencieuses. L'argument de la division et celui de l'occidentalisme ont été décisifs : « vous divisez le mouvement qui est sous le feu de la répression, vous participez à la stigmatisation des frères, vous faites les Occidentales ». Nombreuses sont les femmes militantes qui ont témoigné de cet appel à la loyauté afin d'ignorer leur critique du machisme et du sexisme. Dans son autobiographie, Elaine Brown, militante du Black Panther Party et puis sa dirigeante, met en cause sans détour le sexisme de ses camarades[90]. Elle décrit la spirale de la violence créée par le stress permanent, le racisme, la terrible répression qui s'abat sur le BPP, la capacité du FBI à semer la division[91]. Brown met au jour toutes les contradictions, toutes les terribles tensions qui pèsent sur les vies noires, quels que soient leur genre ou leur sexualité, mais ses observations restent empreintes de tendresse et d'amour pour les femmes et les hommes noirs acculés à la violence contre elles-mêmes et eux-mêmes, et contre leurs proches. C'est ce qui fait toute la richesse de cet ouvrage dur qui permet d'interroger la condamnation moraliste de la domination masculine dans les communautés noires par le féminisme civilisationnel. En France, dans sa brochure de 1978, la Coordination des femmes noires énonce clairement la nécessité d'une position autonome à la fois du féminisme blanc et du machisme noir : « À partir de la confrontation de notre vécu en tant que femmes et en tant que Noires, nous avons pris conscience que l'histoire des luttes, dans nos pays et dans l'immigration, est une histoire dans laquelle nous sommes niées, falsifiées. [...]C'est pourquoi notre lutte en tant que femmes est avant tout autonome car de la même façon que nous entendons combattre le système capitaliste qui nous opprime, nous refusons de subir les contradictions des militants qui, tout en prétendant lutter pour un socialisme sans guillemets, n'en perpétuent pas moins dans leur pratique, à l'égard des femmes, un rapport de domination qu'ils dénoncent dans d'autres domaines[92]. » Ces positions, dont on peut retrouver la trace dans les textes des femmes noires esclaves ou des femmes colonisées, sont reprises aujourd'hui par des groupes comme les Locs (Lesbians of Color), le groupe Mwasi ou Afro-Fem qui déclare vouloir faire face à « l'invisibilisation des femmes noires dans les mouvements féministes » mais sans « occulter le machisme des hommes afro[93] », pour laquelle elles ont créé la notion de « misogynoir ». Divine K., cofondatrice du collectif Afro-Fem, revient sur l'injonction à la loyauté en soulignant que « lorsque les femmes afro s'opposent aux hommes afro, elles sont accusées d'être source de division, de faire le jeu des colons ! » En dénonçant « l'androcentrisme des mouvements dits d'afroconscience, d'afrocentricité, dirigés par des hommes qui prônent une sorte de "retour aux sources africaines" et font peser des injonctions essentialistes sur les femmes noires[94] ». La solidarité est une alternative à l'injonction de loyauté, une solidarité sans faille, un amour réel et profond, inconditionnel, mais qui ne tolère pas la violence.

Le féminisme civilisationnel comme opérateur de pacification des luttes des femmes

Les stratégies de pacification sont importantes à analyser parce que d'une part elles n'empruntent pas toujours le chemin de la censure, de la répression policière ou armée, d'autre part parce qu'elles sèment la confusion sur les objectifs de l'émancipation en représentant cette dernière comme une victoire du bien sur le mal, de la morale sur le vice. Le féminisme civilisationnel a eu recours à ces stratégies pour faire accepter les termes « féminisme » et « féministe ». Le féminisme civilisationnel a réécrit l'histoire des luttes de femmes pour minorer ou déconsidérer l'action des femmes du Sud dans les luttes anticoloniales et anti-impérialistes : soit ce récit les mentionne à la marge, soit il met l'accent sur la « trahison » des mouvements anticoloniaux envers ces femmes qu'ils auraient renvoyées « à la maison ». Il y a là un choix : celui d'ignorer les analyses des femmes ayant participé aux luttes anticoloniales et anti-impérialistes qui ont fait la critique de la dimension sexiste d'un nationalisme et ont insisté sur l'inévitable intersection entre droits économiques, culturels, politiques, reproductifs et environnementaux. Si un écart existe entre les promesses des luttes pour l'indépendance et la réalité postcoloniale, il ne s'agit pas simplement d'un fait de culture mais du résultat d'une conjecture dont la perpétuation de la domination masculine fait partie. Ces contradictions existent, les féministes décoloniales en sont conscientes et ne cessent de les analyser. La volonté hégémonique du féminisme civilisationnel ne peut cependant accepter que des femmes du Sud soient à même d'analyser les mécanismes et l'idéologie des politiques masculinistes et hétéropatriarcales. En soulignant combien la cruauté des hommes blancs a été jusqu'à ce jour plus destructrice que toute autre chose, les féministes décoloniales ne choisissent pas d'ignorer l'existence de la violence systémique contre les femmes ni le retour de structures oppressives dans les États issus de la décolonisation. Le mouvement Ni Una menos (Pas une de moins) en Argentine, qui dès 2016 organise grèves et manifestations contre le féminicide, « une des formes les plus extrêmes de violences faites aux femmes, car c'est l'assassinat d'une femme par un homme qui la considère comme sa propriété », lie ce combat à celui de la défense des droits des peuples autochtones à la terre et contre la politique néolibérale imposée par le FMI[95].

Le dévoilement des années 10

L'été en France est une période propice à l'expression du féminisme civilisationnel et de ses fantasmes racistes sur le corps des femmes musulmanes[96]. L'été, « la femme » *doit* se dénuder car c'est ainsi qu'elle montre sa liberté. Marianne, l'icône de la République n'a-t-elle pas le sein nu « parce qu'elle nourrit le peuple ! Elle n'est pas voilée parce qu'elle est libre ! C'est ça la République[97] ! » Le bikini[98] est devenu le vêtement iconique de la libération de la femme, celui qui symboliserait les victoires des féministes des

« années 1970 » et incarnerait leur adhésion aux « valeurs de la république », leur accès à une réelle et entière féminité, affranchie et pleinement vécue. Il signe leur adhésion à la laïcité puisque féminisme, république et laïcité sont devenus interchangeables. Il est évidemment l'opposé du burkini, qui devait matérialiser, durant l'été 2016, l'oppression des femmes[99]. Le burkini s'est vu interdire par arrêtés municipaux et une police fut chargée de verbaliser les femmes en burkini sur les plages du sud de la France. L'année précédente, l'été avait fourni son contingent d'incidents autour du vêtement féminin en cette saison. Les médias, les réseaux sociaux et des politiques s'étaient emballés autour d'un incident à Reims : quatre jeunes filles auraient, selon un média local, agressé une jeune fille qui bronzait en bikini dans un jardin public. Aussitôt, transformée en une « agression inacceptable par laquelle on veut nous imposer un mode de vie qui n'est pas le nôtre », selon un des chefs de la droite française appelant à « l'intransigeance[100] », le bikini de Reims fut pour les féministes blanches, la droite et la gauche l'occasion de se répandre en accusations contre une « police religieuse[101] » et en éloges du corps féminin dénudé comme symbole de la république. Quand l'enquête a mis en évidence la banalité de l'incident, il était déjà trop tard. Le bikini était devenu une cause nationale.

L'été 2017 ne devait pas échapper à cette nouvelle convention. À la fin du mois de juillet,
des médias français parlèrent quotidiennement
d'une « révolte du bikini » en Algérie. Les titres
étaient évocateurs : « Algérie : la révolte du bikini
s'étend[102] », « Algérie : qu'est-ce que la "révolte
du bikini", mouvement citoyen et spontané[103] ».
Les journaux français parlaient de « manifestations féministes », de « baignade républicaine
géante », de rassemblement sur la plage de « plus
de 3 600 » femmes s'opposant ainsi vêtues à des
« islamistes » qui les « menaceraient[104] ». Le
vocabulaire des articles était emprunté à celui
d'une légitimité féministe « laïque et républicaine », dans la mesure où l'on souhaitait voir chez
les femmes algériennes une défense des « valeurs
républicaines » et où on assistait à une lutte entre
« deux visions qui s'affrontent[105] ». Finalement,
début août, des rectifications furent apportées.
Les femmes algériennes, qui avaient créé un
groupe Facebook pour aller ensemble à la plage
afin de se prévenir collectivement du harcèlement
sexiste, durent intervenir auprès des médias français afin que ces derniers cessent de fabriquer la
« polémique du bikini[106] ». Nouria dénonça la
manipulation en ces termes : « Ils se sont mis à
utiliser des mots qu'on n'utilisait jamais, comme
"islamisme" ou "obscurantisme". » On ne dénon-
çait ni les agressions physiques, qu'on n'a pas
subies sur cette plage, ni les femmes en burkini,

qui ne nous posent pas de problème », renchérit Sarah. Son mari, Djaffar, s'emporte : « Ne pensez pas que ce groupe est la seule manière pour les femmes d'être en maillot de bain sur la plage. Elles l'ont toujours été[107]. »

La révolte du bikini était une pure construction des médias français, sur laquelle des féministes blanches se sont jetées. Il s'agissait encore et toujours de dévoiler les femmes algériennes, si « jolies sous leur voile » comme le proclamait une affiche de propagande de l'armée française pendant la guerre d'indépendance. La beauté féminine reposait sur le dévoilement. Le ridicule de ces batailles autour du bikini ne doit pas en masquer la violence. Il s'agit bien là d'une offensive pour imposer des normes aux femmes, notamment en matière vestimentaire.

Mais la fiction de la révolte du bikini n'a pas été le dernier incident de la saison blanche 2017. Le 21 août 2017, Julia Zborovska publiait sur sa page Facebook une série de photos de femmes portant un foulard, ce que médias, hommes et femmes politiques, et fémonationalistes appellent des « femmes voilées[108] ». Elle légendait ainsi les photos : « Voilà une heure passée au Rivetoile plage à Strasbourg – capitale de l'Europe, la ville des droits de l'Homme… c'est claire [*sic*] ce n'est pas la ville des droits de la femme… Liberté, égalité entre hommes et femmes ? Il y a plus de femmes voilées que de petites filles en petites robes et des petites jupes... moi perso ça me choque. PS : Et [pas] la peine de me parler de droit à l'image, avec leur camouflage, personne ne va les reconnaître[109] ! » Face aux accusations de racisme et d'islamophobie, Julia Zborovska s'est défendue en invoquant son féminisme : « Je suis surprise et un petit peu choquée par beaucoup de haine et de colère. Ce n'était pas le but de provoquer ce conflit. Mon message était plus féministe que raciste. Mon seul regret est de ne pas avoir caché les visages des femmes. Ce sont les tenues que je voulais prendre en photo. Je suis tout sauf raciste, fasciste ou nationaliste[110]. » La référence à son féminisme, sa réaction défensive, et ses dénégations – « je ne voulais pas..., je ne suis pas raciste » – sont symptomatiques d'un discours raciste qu'on ne saurait réduire à une opinion individuelle et qui s'apparente à une structure. Ayant fait le choix d'ignorer comment le racisme, l'islamophobie contaminent la pensée, s'insinuent dans la conscience, Zborovska ne pouvait qu'être surprise par la « haine » et la « colère ». Par ce retournement, elle masquait sa propre haine. Son message était destiné à retourner le sentiment de culpabilité : elle n'avait jamais eu l'intention de blesser, pourquoi la blessait-on ? Continuant à faire appel de son innocence, l'auteure jouait sur un registre bien connu, le déni. Prise, pourrait-on dire, la main dans le sac de l'islamophobie, elle persistait à refuser la réalité en accusant le monde extérieur d'être injuste envers elle. Ce n'était pas elle qui était injuste et brutale, c'étaient les autres. La projection, devenue l'un des mécanismes typiques du discours raciste – « ce n'est pas moi, c'est l'autre » ou, en traduction, « ce sont les minorités racisées qui sont racistes, elles voient le mal partout » – préserve ici le sujet d'avoir à faire face à son propre racisme. « La culpabilité et les réactions défensives sont les briques d'un mur sur lequel nous butons toutes ; elles ne conviennent à aucun de nos futurs[111] », a écrit Audre Lorde. Mais l'été et sa moisson de déclarations fémonationalistes n'étaient pas finis. L'association Lallab, dont le but est de « faire entendre les voix des femmes musulmanes pour lutter contre les oppressions racistes et sexistes », s'est vue accuser d'être proche des « indigénistes » (*sic*) et de constituer un « laboratoire de l'islamisme » (*sic*), afin de justifier qu'on lui retire l'aide des volontaires du service public[112]. Une pétition de soutien à l'association « Stop au cyberharcèlement islamophobe contre l'association Lallab[113] » fut aussitôt attaquée par Manuel Valls et Caroline Fourest sur Twitter, et accusée d'encourager le communautarisme.

Ainsi se passa l'été 2017, comme les étés précédents, saison rassurante pour le féminisme blanc et le fémonationalisme car il y a toujours ici et là des femmes musulmanes et noires sur le corps desquelles leur idéologie peut se déployer. Tout ce dispositif prend à la fois soin de rassurer l'opinion sur la supériorité culturelle de la France (en mettant en contraste la liberté des femmes françaises et la soumission des femmes musulmanes et noires), tout en laissant croire que des forces obscures menacent la république et qu'un de ses chevaux de Troie est la femme musulmane[114]. Notons que les médias français n'ont pas le moins du monde traité avec la même ferveur des manifestations de femmes dans le Rif en juillet et août 2017 (en soutien au mouvement social dans la même région), ni des mouvements de solidarité initiés par des femmes marocaines en France. Les luttes de femmes pour le respect et la dignité étaient moins importantes que la « bataille du bikini », car elles auraient questionné les clichés islamophobes.

Patriarcat conservateur vs patriarcat libéral

Deux formes de patriarcat s'opposent actuellement sur la scène mondiale. L'un se dit moderne, favorable à un certain multiculturalisme, et se proclame respectueux des droits des femmes – tant qu'il s'agit de les intégrer à l'économie néolibérale. Il en va de même avec les personnes LGTBQIT+. L'ouverture en mars 2018 à Manhattan de la première boutique pour les « gender-neutral », « Phluid », où « Fashion meets activism », montre que toute identité minoritaire peut être intégrée dès lors qu'elle est marchandisable[115]. La création de Phluid en elle-même ne fait pas peser une menace sur les luttes, soyons sérieuses, mais son projet de « donner aux individus le pouvoir d'être eux-mêmes. De s'exprimer de manière ouverte, sans être jugés et sans peur[116] » reste individualiste.

L'autre patriarcat, néofasciste et masculiniste, attaque frontalement les femmes et les LGTBQIT+, et vise à revenir sur des droits conquis de haute lutte – avortement, contraception, droit du travail, droits des LGTBQIT+ et des transgenres. Dans ce système, seule la soumission des femmes à son ordre hétéronormé qui institue le pouvoir absolu du père et du mari est acceptable. Ce séisme ressurgit sous forme d'appels au viol et au meurtre contre les féministes, les élues de gauche, les personnes transgenres, les LGTBQIT+, les militantes des peuples autochtones, et les migrant•e•s. C'est un patriarcat qui manipule la religion et qui a compris comment attiser la haine et la peur, comment justifier le meurtre. La différence entre les deux patriarcats est celle d'un ton, d'une manière de dire et de faire, mais aussi d'une pratique, le patriarcat néofasciste n'hésitant pas à utiliser torture, disparition, prison, et mort contre les femmes comme on le constate tous les jours : en 2016, Berta Carceres, autochtone activiste environnementale assassinée au Honduras ; en 2017, Maria da Lurdes Fernandes Silva, militante brésilienne des droits à la terre ; Mia Maunealita Mascarinas-Green, avocate pour la justice environnementale ; Jennifer Lopez, militante LGTBQ assassinée au Mexique ; Sherly Montoya, militante LGTBQ assassinée au Honduras et Micaela Garcia, militante féministe, assassinée à Buenos Aires. En mars 2018, le meurtre en pleine rue de Marielle Franco, conseillère municipale, assassinée avec son chauffeur Anderson Pedro Gomez, était un signe avant-coureur de la victoire du pire au Brésil. Le pouvoir masculiniste, viriliste, patriarcal et ami du néolibéralisme n'hésiterait pas à faire assassiner en public une figure de l'opposition, noire et queer. Les appels au viol de plus en plus fréquents sur les réseaux sociaux visant des féministes décoloniales, des femmes queer, des trans en Inde, en Amérique du Sud, aux États-Unis, en Europe, en Afrique, indiquent la fureur du patriarcat. Partout la menace, les insultes, les diffamations, le harcèlement sexuel, la violence sexuelle, le viol et la censure font figure tant de modes d'intimidation que de rappels à l'ordre.

Cette tension entre deux patriarcats ne doit cependant pas nous aveugler. Les jeunes patriarches du néolibéralisme promettent à quelques femmes de faire partie des premiers de cordée et aux autres la survie, les vieux patriarches veulent que « leurs » femmes restent des soutiens silencieux à leur ordre, que leurs fils deviennent des patriarches et que les autres femmes, les femmes racisées, demeurent les domestiques et les objets sexuels de leur monde.

Politiser le care

En Occident, en Asie et en Amérique du Nord, les expériences révolutionnaires, communistes et anarchistes – Commune de Paris, Révolution bolchevique, Révolution chinoise, Révolution cubaine, communautés anarchistes – se sont penchées sur l'oppression millénaire que le travail ménager représente pour les femmes. Une série de solutions sont alors imaginées, le plus souvent collectives – crèches ouvertes 24 heures sur 24, cuisines collectives, maisons collectives où le travail ménager est réparti de manière égalitaire… Le féminisme noir s'y est évidemment très tôt intéressé compte tenu du fait que les femmes noires ont été assignées au rôle de domestique, de personne qui prend soin, qui nettoie le monde des Blancs. Plus généralement, dans les années 1970, en Italie, en Amérique du Nord, en Angleterre, en France, en Allemagne, quelques franges du féminisme se sont penchées sur le travail domestique, sur sa gratuité et, surtout, sur la nécessité de le considérer comme un *travail*. Cette analyse marxiste et féministe a autant traité du travail ménager que du travail du sexe. Au début des années 1970, des féministes au Canada fondent le Collectif féministe international (CFI) autour de la revendication d'un salaire pour le travail ménager. Dans un ouvrage paru en 2014, Louise Toupin revient sur l'histoire des luttes menées par le CFI et la théorisation que ses membres firent du travail gratuit féminin[117]. Les questions d'allocation familiale et d'aide sociale devinrent des luttes à part entière et le Welfare Movement donna naissance au collectif Black Women for Wages for Housework. La féministe italienne Mariarosa Dalla Costa parlait de « l'autre usine », de l'usine sociale, autrement dit du travail des « ouvrières du trottoir » et des « ouvrières de la maison » comme travail productif, puisque c'est lui qui produit et reproduit la force de travail. En France, Christine Delphy voit dans le travail ménager « à la fois une des manifestations les plus flagrantes de l'inégalité entre les sexes, qui devrait, par sa visibilité même, être facilement corrigeable, et un défi pour les stratégies d'égalité, car c'est là aussi que l'action militante trouve sa limite[118] ». Les années 1970 sont celles d'une grande intensité théorique et de mises en pratique de politiques autour du travail ménager comme travail productif (avec Mariarosa Dalla Costa et Christine Delphy déjà citées, mais aussi Silvia Federici et Selma James[119]). L'analyse du travail domestique dans la famille devait devenir un point de départ pour « dévoiler l'étendue et l'invisibilité du travail reproductif privé et public sur terre, sa gratuité, et le profit qu'en tirait l'économie du capitalisme. En un mot, il dévoilait la face cachée de la société salariale[120] ». En 1977, Federici fait de la revendication du salaire pour le travail ménager « un moyen pour concentrer notre révolte, un moyen pour s'organiser, pour sortir de notre isolement, pour donner une dimension collective, sociale, internationale à notre lutte[121] ». Peu de féministes en France prennent connaissance du livre de Françoise Ega, *Lettres à une Noire. Récit antillais*, qui décrit le quotidien d'une femme antillaise travailleuse domestique en France et donne à voir la racialisation de ce travail : « Nous sommes classées par le gouvernement et la France entière comme devant être avant tout femmes de ménage, comme les Polonais sont ouvriers agricoles, les Algériens terrassiers[122]. » Mais ce fut bientôt la problématique de la répartition des tâches qui prit le dessus sur l'analyse matérialiste du travail domestique, notamment en France. Dès lors, l'indifférence à l'organisation du travail de nettoyage/soin ne pouvait que produire une indifférence des mouvements féministes blancs à sa racialisation.

Les féministes noires aux États-Unis ont très tôt fait apparaître les liens historiques entre travail de nettoyage/soin et racialisation. Dans un texte théorique intitulé « La perte du corps : une réponse à l'analyse incomplète de Marx sur le travail aliéné », la féministe noire chakaZ montre qu'en appliquant la notion de travail aliéné au genre, à la race et aux catégories sexuelles tout le caractère oppressif du système se révèle[123].

Les Trente Glorieuses, période d'enrichissement de la société française sur fond de guerres coloniales, sont notamment marquées par l'accès des femmes blanches bourgeoises à des postes d'encadrement. Dès lors, la demande se fait grande en domestiques et en nounous pour s'occuper de leurs maisons et de leurs enfants. Cette main-d'œuvre féminine est alors puisée au sud de l'Europe (Portugal) puis parmi les femmes racisées de Guadeloupe, de Martinique et de La Réunion, ou encore d'Algérie.

Les féministes noires ont fait la démonstration du fait que les femmes noires ne peuvent aborder le travail domestique de la même manière que les femmes blanches : la racialisation du travail ménager en change profondément les enjeux. Les différences entre les travailleuses (fondées sur l'origine, sur le fait de vivre ou non chez l'employeur, d'avoir à s'occuper d'enfants ou de personnes âgées), les solutions étatiques d'un État à l'autre ont aussi fait l'objet de recherches. Et malgré les difficultés pour s'organiser, les travailleuses domestiques ont su surmonter la solitude et l'isolement et trouver des manières de s'organiser collectivement, de faire connaître leurs conditions de travail et de rendre visible l'exploitation dont elles sont l'objet.

L'usure des corps

C'est moins sur ces points que sur ceux avancés en introduction de cet ouvrage que je souhaite m'attarder ici : l'économie de l'usure et de la fatigue des corps racisés. L'anthropologue David Graeber a parlé de la nécessité de réimaginer la classe ouvrière à partir de ce qu'il appelle la *caring class*, la classe sociale dont le « travail consiste à prendre soin des autres humains, des plantes et des animaux[124] ». Il propose de définir ainsi le travail du *care* : « le travail dont l'objectif est de maintenir ou augmenter la liberté d'une autre personne ». Or, « plus votre travail sert à aider les autres, moins vous êtes payés pour le faire[125] ». Dès lors, il faut, dit-il, « repenser la classe ouvrière en mettant les femmes en premier, contrairement à la représentation historique qu'on se fait des ouvriers[126] ». Je propose d'aller plus loin en insistant sur l'économie de l'usure et de la fatigue des corps racisés, le nettoyage comme pratique de soin, l'instrumentalisation de la séparation propre/sale dans la gentrification et la militarisation des villes.

Je fais ici référence à l'économie d'*usure* de corps racialisés, d'épuisement des forces, dans laquelle des individus sont désignés par le capital et l'État comme étant propres à être usés, à être victimes de maladies, de débilitations et handicaps qui, s'ils sont reconnus par l'État après d'âpres luttes, ne servent jamais à remettre en cause la structure même qui les provoque. L'usure des corps (qui concerne évidemment aussi des hommes, mais j'insiste sur la féminisation de l'industrie du nettoyage dans le monde) est inséparable d'une économie qui divise les corps entre ceux qui ont droit à une bonne santé et au repos, et ceux dont la santé n'importe pas et qui n'ont pas droit au repos. L'économie de l'épuisement, de la fatigue, de l'usure des corps racisés et genrés est une constante dans les témoignages des femmes travailleuses du nettoyage. Florence Bagou compte parmi les porte-parole de la grève de janvier 2018 mobilisant des femmes en charge du nettoyage de la gare du Nord ; elle nous apprend qu'elle se lève à quatre heures du matin, prend son bus à 5 heures 30 pour récupérer un train, puis un autre, afin d'être sur son lieu de travail à 7 heures du matin[127]. Elle récupère alors son matériel et commence à nettoyer les gares, à l'extérieur comme à l'intérieur. Ensuite, elle prend un train pour se rendre dans une autre gare. « On balaie, on récupère les poubelles qui sont lourdes, sans chariot – c'est à nous de les porter. On fait beaucoup les mêmes gestes. La marche fragilise les chevilles et les genoux, les poignets aussi sont touchés. Avec ce travail, on a du mal à marcher normalement, on a mal partout[128]. » À Maputo, Camarada Albertina Mundlovo doit arriver à son lieu de travail avant que ses employeurs ne commencent à travailler. Craignant d'arriver en retard, elle prend un taxi collectif dans la direction opposée puis en prend un autre vers la ville. « Je paye double, mais si je prenais une route directe je n'arriverais jamais à l'heure. Je connais des femmes qui ont perdu la vie en se battant pour un poste de domestique. Les employeurs ne veulent rien savoir de ces difficultés[129]. » Que ce soit aux États-Unis, en Europe, en Asie, en Amérique du Sud, en Afrique, sortir tôt le matin, c'est rencontrer ces femmes somnolant dans les transports ou se pressant à leur travail, avant que la ville ne se réveille.

Le capitalisme est une économie de déchets et ces déchets doivent disparaître aux yeux de celles et ceux qui sont en droit de jouir d'une vie bonne. Selon la Banque mondiale, la production mondiale de déchets s'élevait en 2016 à 1 milliard 300 millions de tonnes par an, soit près de 11 millions de tonnes par jour. Tous ces déchets ne sont évidemment pas nettoyées par des femmes, mais aussi par des hommes et des enfants qui nettoient des montagnes de déchets ménagers et les déchets toxiques – les éboueurs, les Dalits qui vident les égouts, les Africains qui démantèlent à Accra les déchets de la technologie, les ouvriers qui décarcassent les navires au Bangladesh… Ce que je veux souligner ici, c'est que cette économie de production de déchets est inséparable de la production d'êtres humains fabriqués comme « rebuts », comme « déchets ». Toute une humanité est vouée à effectuer un travail invisible et surexploité pour créer un monde propre à la consommation et à la vie des institutions. À elles et eux, le sale, le pollué, l'eau non potable, les ordures pas ramassées, les plastiques qui envahissent tout, les jardins où les plantes meurent faute d'entretien, les égouts qui ne fonctionnent pas, l'air pollué. Aux autres, la ville propre, les jardins, les fleurs, la déambulation sereine. La ségrégation du monde s'effectue dans une division du propre et du sale fondée sur une division raciale de l'espace urbain et de l'habitat. Cette division existe aussi dans les pays du Sud. Parmi ces personnes racisées condamnées au nettoyage du monde bourgeois, je me focalise sur les femmes de ménage, dites « techniciennes de surface » en France qui, ici comme ailleurs, mènent des luttes fondamentales : elles font apparaître le caractère structurel et inégalitaire de l'industrie très féminisée et racisée du nettoyage, et sa relation au passé esclavagiste et colonial.

Le nettoyage est une activité de plus en plus dangereuse car, outre les troubles musculo-squelettiques[130], les risques chimiques se sont accrus au regard de la composition des produits utilisés[131]. Le harcèlement et la violence sexuelle font partie intégrante de cette industrie de précarisation et d'exploitation ; ils indiquent que l'abus de pouvoir est structurel, qu'ils ne sont pas la simple expression d'une masculinité « anormale » mais sont inscrites dans l'agencement même de cette industrie. L'industrie du nettoyage/soin est un des exemples les plus clairs de la manière dont fonctionne le capitalisme racial, soit la fabrication d'une vulnérabilité à la mort, comme l'a expliqué Ruth Wilson Gilmore. En effet, cette industrie met aux prises les femmes racisées avec les produits toxiques, le harcèlement et la violence sexuelle, l'invisibilisation, l'exploitation, l'organisation légale et illégale de l'immigration comme le déni des droits.

Qui nettoie le monde ?

En France, le travail ménager s'industrialise au xixᵉ siècle, d'abord auprès des femmes des classes populaires ou de la campagne, ensuite auprès des femmes esclaves puis colonisées. Dans les années 1960-1970, l'externalisation de cette activité crée de nouvelles catégories du travail (constituées en branche professionnelle en 1981). Selon la Fédération des entreprises de la propreté et services associés, l'industrie du nettoyage en France est un marché en constante expansion (1 emploi sur 40 en France). Il représente 13 milliards d'euros de chiffre d'affaires par an, emploie 500 000 personnes dont 66 % de femmes ; 50 % des salariées ont plus de 44 ans ; en 2004, au niveau national, 29 % sont de nationalité étrangère, 76 % travaillent en Île-de-France[132]. Le temps partiel prédomine (79 %) dans ce secteur : 47 %

des salariés travaillent pour plusieurs agences et les femmes sont en majorité des « agents de service », alors que les hommes sont plus souvent aux postes de contremaître. L'Observatoire de la propreté explique que le temps partiel est proposé aux salariés pour s'adapter aux besoins des femmes[133]. Les principaux clients sont les bureaux (38 %), suivis par les immeubles (19 %) et l'industrie (13 %)[134]. Toutes ces données montrent le caractère structurant de la racialisation, de la féminisation et de la précarité du travail ménager. Elles soulignent également l'importance de ce secteur dans nos économies tertiarisées et dans nos métropoles gentrifiées.

En France, la société familiale Onet créée en 1860 (dont les descendants sont restés à la tête de la boîte), domine le marché. Elle obtient dès la constitution de la SNCF un contrat d'exclusivité pour le nettoyage de ses gares et de ses trains[135]. Outre le service à la propreté, la compagnie a étendu son champ d'action à la sécurité (majorité d'hommes), à la gestion des déchets nucléaires, aux services à la logistique et aux soins aux personnes âgées. Sur la page internet d'Onet, on découvre quelles sont les valeurs de la société : « Écoute, Respect, Audace ». Le site nous informe de la création d'une fondation Onet qui « se donne pour mission de soutenir l'action en faveur de la solidarité et de la lutte contre le mal-logement, en participant à des actions concrètes sur le terrain et en favorisant les prises de conscience sur la problématique du mal-logement ». Onet aurait même soutenu la sortie du film d'Al Gore sur le climat comme celle du film *Demain*. La société adhère aux dix principes du Pacte mondial des Nations unies sur le développement durable, proclame le respect du dialogue social et s'engage pour le « développement de l'employabilité ». Elle a un service « Oasis Diversité » qui anime des sessions de formation dans les métiers de la propreté, des technologies et de l'accueil. Entre 2008 et 2016, son chiffre d'affaires est passé de 1,300 milliard d'euros à 1,741 milliard, due pour moitié à la croissance des métiers du Réseau Services Onet qui ont progressé de plus de 5 %[136]. Pour Onet, l'employé est un « collaborateur » et l'employée une « collaboratrice » qui sont invités à évoluer grâce à « l'université Onet ». En 2016, Onet comptait « 64 392 collaborateurs », dont 63 % de femmes. Dans les métiers du Réseau Services Onet, il y a « un contraste important entre les métiers de la propreté dans lesquels les effectifs ouvriers sont très majoritairement féminins, alors que la situation est inverse pour les métiers de la sécurité humaine[137] ». Autrement dit, de l'aveu même de l'entreprise et en dépit de tous les exemples de tartufferies managériales précédemment mentionnés, ce sont les femmes racisées qui font le ménage. Toute une série de clips vantant Onet est disponible sur YouTube.

Il faut voir celui intitulé « Life Is Beautiful » (La vie est belle, 2016), dont le titre fait écho à celui du film de Roberto Benigni où un père ment à son fils pour lui cacher les horreurs d'un camp de concentration nazi dans lequel ils sont déportés. On ne sait pas si l'analogie entre le scénario du film et le contenu du clip est intentionnelle, mais le rapprochement des deux récits ne manque pas d'ironie. Dans le clip d'Onet, on voit une femme blonde en costume pantalon qui entre, souriante, dans un bureau. Autour d'elle, des femmes et des hommes s'agitent à nettoyer murs, sols et étagères, mais ils lui sont invisibles, elle ne les voit pas ; elle va ensuite au supermarché où, grâce à Onet, ce qu'elle achète est propre et hygiénique ; elle prend un train nettoyé par Onet avant de se rendre dans un stade nettoyé par Onet et visiter quelqu'un dans un hôpital nettoyé par Onet ; finalement on la voit entrer dans une chambre d'hôtel qui vient d'être nettoyée par une employée d'Onet, et le clip conclut avec la jeune femme marchant sur un gazon débarrassé des nuisibles par Onet[138]. Tout au long du clip, l'invisibilité des personnes qui font ce travail est mise en avant. La femme blanche doit être assurée de trouver tout propre mais sans jamais être confrontée à la réalité du nettoyage, donc à la présence de celles et ceux qui l'accomplissent. C'est un des principes fondamentaux du nettoyage : il doit rester *invisible*. Par cette invisibilisation, la personne chargée du nettoyage disparaît non seulement de l'écran social, mais la violence et le mépris à l'encontre de son travail se voient légitimés. Il suffit de mettre en contraste la vidéo de l'interview de Madame Gueffar, licenciée brutalement par Onet après avoir travaillé quatorze ans sans un seul jour d'arrêt à nettoyer la gare d'Agen[139]. La propreté repose sur la violence et l'arbitraire. Mais la *femme blanche* de classe aisée qui évolue dans un univers propre et sécurisé grâce à des *femmes racisées* (et des hommes pour la sécurité) ne doit voir ni ces femmes ni cette violence. Cependant, le clip « Life Is Beautiful » comporte un autre élément : les employé•e•s que l'on voit s'affairer au fil des images sont en grande majorité blanc•he•s ; sans doute un clip qui aurait montré la réelle part des racisé•e•s dans ces métiers aurait-il mis au jour de manière trop flagrante leur racialisation genrée.

Cela m'amène à la question que je voudrais mettre en débat au sein du féminisme décolonial : « Qui nettoie le monde ? » Comment comprendre la relation entre le capitalisme comme producteur de déchets matériels et toxiques et sa fabrication d'êtres humains comme jetables ? Comment est invisibilisée l'externalisation du déchet ? Comment mettre en pratique notre soutien aux travailleuses du nettoyage et du soin ? En mars 2018, à Chennai, la *curator* dalit Krishnapriya présentait son exposition *Archiving Labour*, en partant du fait que le Collège gouvernemental

des beaux-arts était à l'origine une école coloniale technique. Dans cette exposition passion-
nante réunissant trente jeunes artistes Dalit, une
installation a retenu mon attention précisément
parce qu'elle traite du travail de nettoyage. Cette
œuvre rassemble plusieurs portraits de femmes
qui nettoient les gares de Chennai et des dessins
de leurs activités sur lesquels on les voit enlever les
excréments humains sur les rails et dans les trains.
Un jeune artiste a ajouté à cette installation trois
pages de cahier d'écolier sur lesquelles il a écrit à
la main : « Nettoyer les fèces n'est pas une chose
ordinaire. À mains nues, mon grand-père nettoie
les fèces humaines à tel point qu'elles ont impré-
gné les lignes de ses mains, comme du sang dans
le sang. » Il conclut : « Cette femme devrait arrêter de nettoyer les excréments humains, chacun•e
devrait nettoyer ses propres excréments. Nous
devrions nous joindre à cette femme pour nettoyer les excréments humains, ainsi, cette femme
serait notre égale, et cela se ferait concrètement,
pas seulement avec des mots »[140].

Dans plusieurs pays, les travailleuses de l'industrie du nettoyage se sont organisées, certaines
depuis des décennies, réclamant la reconnaissance
de leurs droits, des protections sociales, la fin du
harcèlement et de la violence sexuelle ainsi que de
la précarité organisée. Une notion revient dans la
plupart de ces organisations, la dignité. En affirmant avec force qu'elles font bien leur travail,

qu'elles aiment leur travail, les travailleuses du nettoyage insistent sur la dignité et le respect auxquels elles ont droit. Leur combat est au cœur des luttes féministes pour la dignité, contre le racisme et l'exploitation. Le travail séculaire des femmes – le travail de « nettoyage » – est indispensable à la perpétuation de la société patriarcale et capitaliste, mais en France il faut intégrer à son histoire le travail de soin et de nettoyage assigné aux femmes noires esclaves et domestiques, puis aux femmes colonisées, et aujourd'hui aux femmes racisées françaises ou d'origine étrangère. Elles donnent un nouveau contenu aux droits des femmes. Elles articulent ce que peut être le droit à l'existence dans un monde où les droits ont en partie été conçus pour exclure. Pour les féministes décoloniales, l'analyse du travail de nettoyage et de soin dans les configurations actuelles du capitalisme racial et du féminisme civilisationnel est une tâche de premier ordre.

Renouer avec la puissance imaginaire du féminisme

L'idée que les femmes n'ont pas de passé, n'ont pas d'histoire, signifiait bien sûr qu'elles en avaient une mais qu'elle était enfouie, cachée, masquée, et que le travail des féministes était de la retrouver et de la faire connaître. Ce travail d'archéologie, de redécouverte, de réappropriation se poursuit et il est fondamental. Cependant, en inversant le sens de la phrase, en affirmant que nous avons un passé, une histoire, je suggère une autre approche de l'écriture de l'histoire. J'interroge le sens donné à « passé » et à « histoire » dans la phrase de l'hymne du MLF : « Nous qui sommes sans passé, les femmes/ Nous qui n'avons pas d'histoire. » Dans quelle mesure cela nous aide-t-il à transformer en récit l'héritage catastrophique qui est l'histoire des peuples racisés (esclavage, génocide, dépossession, exploitation, déportation) ? Comment écrire le passé et l'histoire de ces catastrophes qu'on prend à peine le soin de mentionner d'ordinaire ? Quels mots trouver pour parler de l'offensive générale partout sur terre qui « tend à faire disparaître les territoires habitables et encore habités pour en faire des maillons des chaînes globales de production-consommation », quand se « multiplient les zones de sacrifice »[141] ? Quel sens cela a-t-il de déclarer que « les femmes » sont sans passé et sans histoire alors même que, parmi les femmes, les Blanches et les racisées n'ont en rien la même légitimité ? L'écriture du passé et de l'histoire des femmes racisées n'a pas eu la même trajectoire que l'écriture féministe européenne parce qu'il ne s'agissait pas de la même démarche. Pour les racisées, il ne fallait pas combler une absence mais trouver les mots qui redonneraient vie à ce qui avait été condamné à l'inexistence, des mondes qui avaient été jetés hors humanité.

Je laisse en conclusion la parole à un texte écrit collectivement en juin 2017 où nous étions une trentaine d'artistes et d'activistes à dire : « Nous voulons mettre en œuvre une pensée utopiste, entendue comme énergie et force de soulèvement, comme présence et comme invitation aux rêves émancipateurs et comme geste de rupture : oser penser au-delà de ce qui se présente comme "naturel", "pragmatique", "raisonnable". Nous ne voulons pas construire une communauté utopique mais redonner toute leur force créative aux rêves d'indocilité et de résistance, de justice et de liberté, de bonheur et de bienveillance, d'amitié et d'émerveillement[142]. »

Notes

1. Frantz Fanon, in *L'An V de la Révolution algérienne*, I, *Œuvres*, Paris, La Découverte, 2011, p. 275.
2. Audre Lorde, « De l'usage de la colère. La réponse des femmes au racisme », juillet 2006, DégenréE – degenree@boum.org , téléchargée sur http://infokiosques.net, pp. 5-6.
3. « Onet, numéro 1 de l'exploitation dans le nettoyage », 4 décembre 2017, http://www.revolutionpermanente.fr/ONET-numero-1-de-l-exploitation-dans-le-nettoyage; Daniela Cobet, « Grève des agents de nettoyage des gares franciliennes. Premier bilan d'une lutte exemplaire », 16 décembre 2017, http://www.revolutionpermanente.fr/Greve-des-agents-de-nettoyage-des-gares-franciliennes-Premier-bilan-d-une-lutte-exemplaire; Flora Carpentier, « Émotion et fierté de classe à la fête de la victoire des grévistes d'H. Reinier-Onet », 18 décembre 2017, http://www.revolutionpermanente.fr/Videos-Emotion-et-fierte-de-classe-a-la-fete-de-victoire-des-grevistes-d-H-Reinier-Onet; Françoise Vergès, « Grève de femmes, luttes féministes : le combat d'Onet », 9 mars 2018, http://www.revolutionpermanente.fr/ONET-numero-1-de-l-exploitation-dans-le-nettoyage
4. Collectif, « Nous défendons une liberté d'importuner indispensable à la liberté sexuelle », 9 janvier 2018, https://www.lemonde.fr/idees/article/2018/01/09/nous-defendons-une-liberte-d-importuner-indispensable-a-la-liberte-sexuelle_5239134_3232.html
5. *Ibid.*
6. Je résume plus bas l'analyse de Sara Farris sur ces points de convergence qu'elle a explorés dans *In the Name of Women's Rights. The Rise of Femonationalism*, Durham, Duke University Press, 2017.
7. *Ibid.*, p. 124.
8. E.P. Thompson, *La formation de la classe ouvrière anglaise*, Paris, Le Seuil, 2017.
9. L'Université du féminisme organisée par Marlène Schiappa, secrétaire d'État chargée de l'Égalité entre les femmes et les hommes dans le gouvernement sous Emmanuel Macron, s'est tenue à Paris les 13 et 14 septembre 2018. Elle déclarait : « Notre volonté, c'était de mettre en avant la pluralité des mouvements féministes parce que le mouvement n'a jamais été monolithique, il a toujours été traversé par différents courants. Et d'avoir ce lieu de débats avec trois mots d'ordre : réflexions, opinions et actions. Le but de la grande cause du quinquennat du président Emmanuel Macron, c'est faire en sorte que ces débats traversent la société », https://www.francetvinfo.fr/societe/droits-des-femmes/universite-

dete-du-feminisme-marlene-schiappa-ne-veut-pas-delivrer-un-brevet-de-feminisme-mais-inviter-a-la-reflexion_2910739.html ; des thèmes tels que « Voile et Féminisme », « Me too et après ? », « Peut-on être féministe et mère au foyer » ou « Comment atteindre l'égalité homme-femme au travail » étaient en débat. Laura Cha, porte-parole de l'association Lallab, a été huée lors de son intervention, https://information.tv5monde.com/terriennes/en-france-une-premiere-universite-d-ete-du-feminisme-sous-le-signe-des-polemiques-et

10. Le 15 octobre 1960, une ordonnance dont l'objectif est de réprimer toute contestation en Algérie (qui était découpée en « départements français »), et qui a pour but d'éloigner par l'exil les fonctionnaires qui pourraient « troubler l'ordre public », est appliquée dans les départements d'outre-mer, Guadeloupe, Martinique, Guyane, La Réunion.

11. Prosper Ève, *L'île à peur. La peur redoutée ou récupérée des origines à nos jours*, Saint-André de La Réunion, Océan Éditions, 1992.

12. Sous l'esclavage, le statut d'un enfant était transmis par la mère : si la mère était esclave, l'enfant était esclave, si elle était libre, l'enfant était libre. Mais cette règle était loin d'être respectée par la majorité des propriétaires d'esclaves qui la contestaient par tous les moyens, en mentant, en falsifiant des papiers, en ne reconnaissant

pas des émancipations. Les cas de femmes esclaves allant au tribunal et se battant contre l'arbitraire ne sont pas rares.

13. Frantz Fanon, *Les damnés de la terre*, Paris, La Découverte, 2002, p. 99.

14. J'utilise soit « un mouvement » soit « des mouvements » ou « les mouvements » pour ne pas dire « le mouvement » et ainsi signaler une pluralité de féminismes, la possibilité de formes alternatives de ces alternatives féministes, qui sont cependant tous, pour ceux qui m'intéressent, résolument antiracistes, anticapitalistes et anti-impérialistes.

15. Cité par Sabelo J. Ndlovu-Gatsheni, *Epistemic Freedom in Africa. Deprovincialisation and Decolonization*, Londres, Routledge, 2018, p. 64. Le texte de Peter Ekeh date de 1983.

16. La citation serait tirée du discours de Lilla Watson à la Conférence des Nations unies pour la « décennie des femmes » à Nairobi, en 1985. Mais Watson préfère dire que c'est le fruit d'une réflexion collective des groupes militants aborigènes du Queensland dans les années 1970.

17. Michael Stambolis-Ruhstorfer, « La multidimensionnalité comme outil de lutte pour une justice raciale et sexuelle complète », *in* Hourya Bentouhami et Mathias Möschel, eds, *Critical Race Theory. Une introduction aux grands textes fondateurs*, Paris, Dalloz, 2017, pp. 309-318, p. 310.

18. Félix Boggio Éwanjé-Épée,

Stella Magliani-Belkacem, Morgane Merteuil et Frédéric Monferrand « Programme pour un féminisme de la totalité », *in* Titti Bhattacharya *et al.*, *Pour un féminisme de la totalité*, Paris, Éditions Amsterdam, 2017, pp. 13-31, p. 18.

19. *Ibid.*, p. 23.

20. Françoise Vergès, *Le ventre des femmes. Capitalisme, racialisation, féminisme*, Paris, Albin Michel, 2017.

21. Présentation faite lors de conférences et d'ateliers dans des pays du Sud autour des pédagogies décoloniales. Voir l'article tiré de cette présentation : Françoise Vergès, « Bananes, esclavage et capitalisme racial », *Le Journal des Laboratoires d'Aubervilliers, Cahier C*, 19, 2018-2019, pp. 9-11.

22. Gloria Wekker, *White Innocence. Paradoxes of Colonialism and Race*, Durham, Duke University Press, 2016.

23. Fatima El Tayeb, *European Others*, Durham, Duke University Press, 2011, p. xv.

24. Reni Eddo-Lodge, *Why I'm no Longer Talking to White People About Race*, Londres, Bloomsbury Publishing, 2017.

25. Elsa Dorlin, *La matrice de la race. Généalogie sexuelle et coloniale de la Nation française*, Paris, La Découverte, 2008.

26. Voir à ce sujet : Boaventura de Sousa Santos, *Épistémologies du Sud. Mouvements citoyens et polémique sur la science*, II, Paris, Desclée de Brouwer, 2016.

27. Maria Lugones, « Heterosexualism and the colonial modern gender system », *Hypatia*, 2007, 22:1, pp. 186-219, et « Colonialidad y género », *Tabula Rasa*, n° 9, julio-dicembre, Bogotà, Universidad Colegio Mayor de Cundinamarca, 2008, pp. 73-101. Voir en français la présentation de cette théorie à travers la traduction par Jules Falquet du texte : « Les racines féministes et lesbiennes autonomes de la proposition décoloniale d'Abya Yala », *Contretemps*, avril 2017, en deux parties.

28. Oyèrónkẹ Oyěwùmí, *The Invention of Women. Making an African Sense of Western Gender Discourses*, Minneapolis, University of Minnesota Press, 1997.

29. Sur la politique de la pitié et l'abolitionnisme français, voir Françoise Vergès, *Abolir l'esclavage, une utopie coloniale. Les ambiguïtés d'une politique humanitaire*, Paris : Albin Michel, 2001

30. http://lesabolitions.culture.fr/medias/mouvements/lumieres/documents/cite-bvolympe-de-gouges.pdf

31. Souvenons-nous du film *Indochine* (Régis Wargnier, 1992) : dans l'Indochine des années 1930, Éliane Devries dirige avec son père Emile une plantation d'arbres à caoutchouc. Elle a adopté Camille, une princesse annamite orpheline. Toutes les deux tombent amoureuses d'un jeune officier de la marine française, le reste est à l'avenant, la nostalgie coloniale accompagnant une version édulcorée de la lutte anticoloniale.

32. Fanny Gallot, « Le "travail femme" quotidien de "Révo", puis de l'OCT dans les entreprises (1973-1979) », *in* Ludivine Bantigny, Fanny Bugnon et Fanny Gallot, éd., *« Prolétaires de tous les pays, qui lave vos chaussettes? » Le genre de l'engagement dans les années 1968*, Rennes, PUR, pp. 109-122, p. 119.

33. Le gouvernement français actuel, tout en recourant à des arguments coloniaux sur le taux de natalité des Africaines qui serait responsable de la pauvreté du continent, leur promet l'accès à la modernité grâce à leur adoption de la langue française. Emmanuel Macron, le 8 juillet 2017, en parlant de l'Afrique : « Quand des pays ont encore aujourd'hui sept à huit enfants par femme, vous pouvez décider d'y dépenser des milliards d'euros, vous ne stabiliserez rien. »

34. Édith Taïeb, « Hubertine Auclert : "de la République dans le ménage" à la "vraie" République », http://www.pedagogie.ac-nantes.fr/histoire-geographie-citoyennete/ressources/hubertine-auclert-de-la-republique-dans-le-menage-a-la-vraie-republique-599669/kjsp?RH=1160761636828. Auclert était une féministe républicaine civilisationnelle. Dans son ouvrage *Les femmes arabes en Algérie* (Paris, Société d'éditions littéraires, 1900), elle prônait l'assimilation coloniale contre un colonialisme de mépris et la cruauté des fonctionnaires. Elle affirmait que les « Arabes » souhaitaient l'assimilation et que le rêve des musulmanes était d'être comme les femmes françaises

(p. 24). Ce texte orientaliste rassemble les éléments du féminisme civilisationnel colonial : un peu d'ethnographie et de sociologie touristique, des clichés sur le caractère « résigné » des Arabes, la polygamie et le « mariage arabe » qui est un « viol d'enfant » (p. 42). Pour Auclert, les femmes françaises qui étaient par leur condition proches des Arabes étaient ainsi les mieux placées pour les étudier.

35. www.senat.fr/colloque_femmes_pouvoir. La présentation de Laurence Klejman et Florence Rochefort n'aborde pas l'attitude des féministes envers le racisme et le colonialisme, poursuivant une tradition dominante dans la recherche française : faire l'impasse sur le rôle de la colonie dans le champ du politique. Laurence Klejman et Florence Rochefort, « Le féminisme, une utopie républicaine, 1860-1914 », colloque « Femmes et pouvoirs, XIXe-XXe siècle », Sénat, 2018.

36. Hubertine Auclert, *Le vote des femmes*, chapitre « Les femmes sont les nègres », Paris, V. Giard & E. Brière éditeurs, 1908, pp. 196-198.

37. Frantz Fanon, « L'Algérie se dévoile », in *Œuvres, L'An V de la Révolution algérienne, op. cit.*, p. 275.

38. En 1945, devant l'Assemblée constituante, Aimé Césaire fera un tableau très critique des siècles de colonisation française : pas d'écoles, taux de mortalité élevée, économie aux mains de quelques-uns… En 1954, en

Algérie, 10 % de la population, dont une grande majorité de colons, détient 90 % des richesses du pays ; pour 200 000 enfants européens, on compte 11 400 écoles, alors que 1 250 000 enfants arabes et berbères se partagent 699 établissements. À la veille de l'indépendance, dans les années 1950, seulement 4 % des filles scolarisables vont à l'école (10 % pour l'ensemble des enfants algériens et 97 % pour les enfants européens) alors qu'un « plan de scolarisation » a été lancé par le décret du 27 novembre 1944. Les quelques centres de formation ouverts notamment à l'occasion du Centenaire, en 1930, confinent les filles et les jeunes filles aux tâches ménagères (cuisine, repassage) ou artisanales (tissage de tapis, broderies…) et leurs effectifs sont symboliques. Voir : Feriel Lalami, « L'enjeu du statut des femmes durant la période coloniale en Algérie », *Nouvelles Questions féministes*, 2008/3 (vol. 27), pp. 16-27. DOI : 10.3917/nqf.273.0016. URL : https://www.cairn.info/revue-nouvelles-questions-feministes-2008-3-page-16.htm

39. National Security Memorandum, *Implications of Worldwide Population Growth for U.S Security and Overseas Interests*, 10 décembre 1974, déclassifié en mars 1989.

40. Françoise Vergès, *Le ventre des femmes, op. cit.*

41. http://www.un.org/fr/sections/issues-depth/women/

42. Télégramme du Département d'État à tous les postes diplomatiques et consulaires. Sur les politiques internationales des années 1970 sur le féminisme, voir : Karen Garner, « Global Gender Policies in the Nineties », *Journal of Women's History*, 2012, vol. 24, n° 4 ; Susan Watkins, « Which Feminisms ? », *New Left Review*, janvier-février 2018, n° 109, pp. 5-72.

43. Les travaux de Jules Falquet sur la décennie de la femme, sur les politiques internationales sur le genre et sur les conséquences des politiques de développement pour les femmes du Sud sont très éclairants ; voir : « Penser la mondialisation dans une perspective féministe », *Travail, Genre, Société*, 2011:1, pp. 81-98 ; *De gré ou de force. Les femmes dans la mondialisation*, Paris, La Dispute, 2008 ; « L'ONU, alliée des femmes ? Une analyse féministe du système des organisations internationales », *Multitudes*, 11 janvier 2003, pp. 179-191.

44. Voir : Jules Falquet, « L'ONU, alliée des femmes ? Une analyse féministe du système des organisations internationales », *Multitudes*, 2003/1 (n° 11), pp. 179-191 » ; Greta Hofman Nemiroff, « Maintenant que les clameurs se sont tues, le jeu en valait-il la chandelle ? », in *Recherches féministes*, 1995, *8*(2), pp. 159-170

45. Parmi les très nombreux ouvrages consacrés à la réorganisation du travail féminin racisé dans les années 1970 et depuis, voir : Ester Boserup, *Women's*

Role in Economic Development, New York, St Martin's Press, 1970 ; Jules Falquet, *Pax Neoliberalia. Perspectives féministes sur la (réorganisation de) la violence*, Donnemarie-Dontilly, éditions iXe, 2016 ; Laurent Fraisse, Isabelle Guérin et Madeleine Hersent, *Femmes, économie et développement. De la résistance à la justice sociale*, Paris, IRD/éditions Ères, 2011 ; Rhacel Salazar Parrenas, *Servants of Globalization. Women, Migration and Domestic Work*, Stanford, Stanford University Press, 2001 ; Pun Ngia, *Made in China. Women Factory Workers in a Global Workforce*, Durham, Duke University Press, 2005 ; « Gender Alternatives in African Development : Theories Metods and Evidence », Codesria, 2005, http://www.codesria.org/spip.php?article362&lang=en ; Sur la littérature d'*emporwement*, voir Melinda Gates, *The Moment of Lift : How Empowering Women Changes the World*, New York, Flatiron Books, 2019.

46. Voir : OTAN/CPEA. Femmes, paix et sécurité. Politique et plan d'action 2018. Organisation du traité nord-atlantique, 11 juillet 2018, https://www.nato.int/nato_static_fl2014/assets/pdf/pdf_2018_09/20181217_180920-WPS-Action-Plan-2018-fr.pdf. L'OTAN indique même la mise en place « du côté militaire, un conseiller pour les questions de genre à l'État-major militaire international et un comité consultatif d'experts (Comité OTAN sur la dimension de genre), chargés de promouvoir l'intégration de la dimension de genre dans la conception, la mise en œuvre, le suivi et l'évaluation des politiques, des programmes et des opérations militaires » ; « l'OTAN doit devenir un protecteur majeur des droits des femmes », tribune de Genève, 12 décembre 2017.

47. Les grandes institutions internationales ont toutes adopté des politiques qui privilégient les femmes et insistent sur l'égalité de genre. La Banque mondiale et le Fonds monétaire international ont largement diffusé l'argument de la plus grande responsabilité des femmes dans les années 1980-1990 pour le mettre au service de leurs politiques de développement et de micro-crédit, marginalisant les politiques qui ont mis les hommes au chômage, qui ont brisé des liens communautaires, renforcé la violence systémique et l'individualisme, et fait reposer sur les femmes la charge de prendre soin de la société.

L'article « Empowering Women Is Smart Economics » d'Ana Revenga et Sudhir Shetty est très éclairant à ce sujet, qui démontre au FMI tous les bénéfices que l'entrée des femmes dans l'entreprise et le travail apporte à l'économie capitaliste (in *Finance & Development*, mars 2012), http://ww.imf.org/external/pubs/ft/fandd/2012/03/revenga.htm En 2014, le rapport du FMI *Gender at work : A Companion to the World Development Report on Jobs* décrivait les obstacles à l'entrée des femmes sur le marché du travail et les discriminations salariales dont elles sont victimes en insistant sur l'inégalité de genre. En 2018, Kristalina Georgieva, directrice générale de la Banque mondiale, déclarait : « Aucune économie ne peut atteindre son plein potentiel économique sans la participation pleine et entière des hommes et des femmes » et, la même année, l'Institut de la Francophonie pour le développement durable, organe subsidiaire de l'OIF, soulignait le rôle essentiel des femmes dans le développement, http://www.mediaterre.org/actu, 20180306233944,13.html

48. Jules Falquet, « Genre et développement : une analyse critique des politiques des institutions internationales depuis la Conférence de Pékin », *in* Fenneke Reysoo et Christine Verschuur, *On m'appelle à régner. Mondialisation, pouvoirs et rapports de genre*, Genève, IUE, 2003, pp. 59-90.

49. Ces mots perdent en français de leur pouvoir d'évocation : dans *empowerment*, il y a *power*, pouvoir mais sans sujet individuel ; *capacity building* fait appel à la psychologie, aux méthodes du self help, à la confiance en soi comme levier de changement ; *governance* est une notion des institutions internationales comme le FMI pour marginaliser la perte de pouvoir des gouvernements dans le Sud et faire d'un « bon gouvernement », pas corrompu, acceptant les lois de la démocra-tie occidentale, la solution aux inégalités.

50. Élisabeth Badinter, Régis Debray, Alain Finkielkraut, Élisabeth de Fontenay, Catherine Kintzler, « Foulard islamique : Profs, ne capitulons pas ! », *Le Nouvel Observateur*, 2 novembre 1989, repris par Comité Laïcité République, http://www.laicite-republique.org/foulard-islamique-profs-ne-ca-pitulons-pas-le-nouvel-ob-servateur-2-nov-89.html. La lettre commence avec ces mots : « L'avenir dira si l'année du Bicentenaire aura vu le Munich de l'école républicaine. Il est bon, dites-vous, d'apaiser les esprits sans faire le jeu des fanatiques. Vous auriez sauvé la paix scolaire et la paix sociale, moyennant quelques concessions de détail. »

51. Archives bibliothèque Marguerite Durand, consultées en mars 2018.

52. Lettre aux Verts, 30 octobre 1989, Archives Anne Zelinski, bibliothèque Marguerite Durand, consultées en mars 2018.

53. Ligue du droit des femmes, 8 octobre 1989, 15 octobre 1989, 6 novembre 1989, Archives Anne Zelinski, Bibliothèque Marguerite Durand, consultées en mars 2018.

54. *Journal officiel*, débats Assemblée nNationale, n° 86 du 9 novembre 1989 (questions actuelles au gouvernement).

55. Timothée Duverger, « Le TOES 89 : l'économie alternative et l'altermondia-lisme », 9 août 2014, https://ess.hypotheses.org/128

56. Archives bibliothèque Marguerite Durand, consultées en février 2018.

57. Débats reproduits dans *Actualités Migrations*, 30 octobre-12 novembre 1989, n° 300, pp. 6-13, p. 10.

58. *Ibid.*, p. 10.

59. Mohamed Yunus sera arrêté pour en 2011 pour malversations.

60. Voir par exemple : Lila Abu-Lughod, *Do Muslim Women Need Savin ?*, Cambridge, Harvard University Press, 2013 ; Chandra Talpade Mohanty, *Feminisme Without Borders : Decolonizing Theory, Practicing Solidarity*, Durham, Duke University Press, 2003 ; Mwasi (collectif), *Afrofem*, Paris, Syllepse, 2018 ; Raquel Rosario Sanchez, « S'il existe quelque chose comme le "féminisme blanc", l'idéologie de genre en est vraiment l'incarnation parfaite », 26 juillet 2017, http://tradfem. wordpress.com/2017/08/01/ sil-existe-quelque-chose-comme-le-%E2%80%89feminisme-blanc%E2%80%89-lideoogie-de-lidentite-de-genre-en-est-vraiment-lincarnation-parfaite/

61. https://www.insee.fr/fr/ statistiques/1283207#titre-bloc-1

62. Andi Zeisler, *We Were Feminists Once : From Riot Girl to CoverGirl : the Buying and Selling of a Political Movement*, New York, Public Affairs, 2016.

63. Anne Rosencher, « Alice Schwarzer : aujourd'hui l'antiracisme prime sur l'antisexisme », *Marianne*, 31 mars 2016, marianne.net

64. *Ibid.*

65. Alice Schwarzer, « The Perpetrators on NYE in Cologne Were Islamists », *Breaking World News*, DW.com, 15 mai 2016.

66. *Ibid.*

67. Khola Maryma Hübsch, « Curious Bedfellows », traduit de l'allemand par Jennifer Taylor, Qantara.de, 2016.

68. Chimananda Ngozi Adichie, *Nous sommes tous des féministes*, Paris, Gallimard, 2015, traduction Mona de Pracontal et Sylvie Schneiter. La « All » de Adichie qui n'a pas de genre en anglais devient masculin en français. Le livre reste n° 1 des ventes sur Amazon qui propose aussi des tee-shirts pour femmes et hommes portant le slogan.

69. « There is a structural prohibition (rather than merely a willful refusal) against whites being the allies of blacks due to this species division between what it means to be a subject and what it means to be an object : a structural antagonism ». Christina Sharpe, *In the Wake*, Durham, Duke University Press, 2016, p. 57.

70. Sara Farris, qui a créé le terme « fémonationalisme », développe dans *In the Name of Women's Rights. The Rise of Femonationalism* (*op. cit.*) l'analyse de cette émergence ; voir aussi : « Les fondements politico-économiques du fémonationalisme » *Contretemps*, 17/07/2013, traduction par Marie-Gabrielle de Liedekerke de l'article « Femonationalism and the "Reserve" Army of Labor Called Migrant Women », *History of the Present*,

2(2), 2012, pp. 184-199.

71. Farris, *op. cit.*, p. 4. Ma traduction.

72. *Ibid.*

73. Voir : Esther M., « Reportage de la Caraïbe. Les Martiniquaises », *Histoires d'elles*, 1977, n° 5 ; *Cahiers du féminisme*, « Martinique, une oppression doublée par la domination coloniale », juin-sept. 1979, n° 10, pp. 37-39 ; *Nouvelles Questions féministes*, printemps 1985 : 9-10, coordonné par Arlette Gauthier, « Antillaises ».

74. Voir entre autres : Kristin Ross, *Laver plus blanc, rouler plus vite. Modernisation de la France et décolonisation au tournant des années 60*, Paris, Flammarion, 2006 ; Todd Sheppard, *1962, comment l'indépendance algérienne a transformé la France*, Paris, Payot, 2012.

75. Bureau pour le développement des migrations dans les départements d'outre-mer, 1963-1981.

76. Stéphanie Condon, « Migrations antillaises en métropole », *Les cahiers du CEDREF* [en ligne], 8-9/2000, mis en ligne le 21 août 2009, consulté le 7 septembre 2017, http://cedref.revues.org/196 ; voir aussi : le rapport de l'Association générale des Étudiants guadeloupéens (AGEG, association militante), *L'émigration travailleuse guadeloupéenne en France*, Paris, L'Harmattan, 1978 ; Pierre Éverard, « L'intégration des infirmières antillaises dans les équipes soignantes des Hôpitaux de Paris », mémoire de maîtrise, université de Lyon

II, 1983 ; Fred Constant, « La politique française de l'immigration antillaise de 1946 à 1987 », *Revue européenne des migrations internationales*, vol. 3, n° 3, 4ᵉ trimestre 1987.

77. S. Condon, art. cit.

78. *Ibid.*

79. *Ibid.*

80. « Planification familiale. Aperçu de nos stratégies » https://www.gatesfoundation.org/fr/What-We-Do/Global-Development/Family-Planning

81. Les journalistes traduisaient littéralement l'appellation « Women's Liberation Movement » des États-Unis.

82. Ce n'est pas le lieu ici de revenir sur la diversité des groupes de femmes qui constituaient le MLF. Je résume donc beaucoup.

83. Voir par exemple : *Algériennes en lutte*, bulletin du groupe de femmes algériennes, janvier et décembre 1978 ; *Nosostras*, 1974-1976 ; brochure de la *Coordination des femmes noires*, 1978. Dans les années 1980, la Maison des femmes à Paris reçoit de nombreux groupes de femmes dont celles qui se disent racisées, queer et lesbiennes. Le « Groupe du 6 novembre », un groupe politique non mixte, naît en novembre 1999 grâce à « la rencontre de lesbiennes dont l'histoire était liée à l'esclavagisme, à l'impérialisme, aux colonisations, aux migrations forcées, celles qui sont désignées dans les pays anglo-saxons sous le générique de "lesbians of color" », http://espace-locs.fr/2017/06/. Des recherches universitaires se multiplient sur ces groupes ; des archives numériques – textuelles et visuelles – ont été constituées.

84. Jesse Jackson fera remarquer que l'organisateur principal de la Marche, Bayard Rustin, dut faire face aux préjugés dans le mouvement, parce qu'il était gay, https://www.washingtonpost.com/lifestyle/style/women--nearly-left-off-march-on-washington-program--speaking-up-now/2013/08/22/54492444-0a79-11e3-8974-f97ab3b3c677_story.html?noredirect=on&utm_term=.23c485166d0f

85. Cité par Jennifer Scanlon, « Where Were the Women in the March on Washington ? », *The New Republic*, 16 mars 2016, https://newrepublic.com/article/131587/women-march-washington, tiré du livre du même auteure, *Until There Is Justice*, Oxford University Press, 2016.

86. Jeanne Theoharis, *The Rebellious Life of Mrs. Rosa Parks*, Beacon Press, 2013.

87. Voir : Claudia Jones « Femmes noires et communistes, mettre fin à une omission », *Période*, http://revueperiode.net/author/claudia-jones/. Voir aussi : Carole Boyce Davies, *Left of Karl Marx : The Political Life of Black Communist Claudia Jones* (Durham, Duke University Press, 2007) ; Claudia Jones, *Ben Davis, Fighter for Freedom* (New York, New Century Publishers, 1954) ; Claudia Jones, « The Caribbean Community in Britain », *Free-*domways, vol. 4 (Summer 1964), 341-57 ; John H. McClendon III, « Claudia Jones (1915-1964) political activist, black nationalist, feminist, journalist » *in* Jessie Carney Smith, ed., *Notable Black American Women*, Book II (New York, Gale Research Inc., 1996), pp. 343-348.

88. Elsa Dorlin, *Se défendre, une philosophie de la violence*, Paris, La Découverte, collection « Zones », 2017, emplacement 270, e-book.

89. Leurs noms ne sont toujours pas connus bien que depuis quelques années, il soit question dans des événements officiels ou des colloques des « femmes des outre-mer ».

90. Elaine Brown, *A Taste of Power. A Black Woman's Story*. Anchor Books, 1994. Voir aussi : Robyn C. Spencer, *The Revolution Has Come. Black Power, Gender and the Black Panther Party in Oakland*, Durham, Duke University Press, 2016.

91. *Ibid.*, p.401.

92. Texte intégral de la brochure *Coordination des femmes noires, 1978*, disponible sur https://drive.google.com/file/d/0B9hpOds0-6vyT-VlMTmsyZ0w5LWc/view

93. Lucie Sabau, « AfroFem », feministoclic.olf.site, 15 septembre 2015.

94. *Ibid.*

95. « Marche contre "les féminicides" en Argentine et dans toute l'Amérique latine », Luc Vinogradoff, *Le Monde*, 19 octobre 2016, https://www.lemonde.fr/big-browser/

article/2016/10/19/greve-des-femmes-et-mercredi-noir-en-argentine_5016560_4832693.html
96. Ces pages sont largement tirées de Françoise Vergès, « Toutes les féministes ne sont pas blanches ! Pour un féminisme décolonial et de marronnage », in *Philosophies des limites postcoloniales*, sous la direction de Ahmed Boubeker et Serge Mboukou, *Le Portique*, n° 39-40, 2017, pp. 155-177.
97. « Valls évoque le sein nourricier de Marianne, la polémique enfle », *Ouest-France*, 30 août 2016. Voir la rectification de l'historienne Mathilde Larrère qui rappelle que le sein dévoilé de Marianne est une manière de copier l'Antiquité, que sa représentation a changé au cours des siècles et qu'elle n'a rien à voir avec une quelconque liberté des femmes, « La leçon d'une historienne à Manuel Valls après ses propos sur Marianne et le voile », Assma Maad, *BuzzFeed*, 30 août 2016, https://www.buzzfeed.com/assmamaad/une-historienne-repond-a-valls-sur-marianne-elle-a-le-sein-n?utm_term=.cgPqvrY7O#.fuwyBPWOL
98. Le mot « bikini » fut donné par Louis Réard en 1946 à un maillot deux pièces, vendu dans une boîte d'allumettes et commercialisé avec le slogan : « Le bikini, la première bombe anatomique ! » En effet, en 1946 est conduit le premier test nucléaire sur l'atoll de Bikini par les USA. Au total, 23 bombes nucléaires y furent testées, poussant ses habitants à l'exil. L'île est toujours inhabitable.
99. Les décodeurs « Comment le "burkini" est devenu la polémique du mois d'août », 26 août 2016, http://www.lemonde.fr/les-decodeurs/article/2016/08/26/comment-le-burkini-est-devenu-la-polemique-du-mois-d-aout_4988517_4355770.html ; « Burkini : les islamistes sont contre ». Jean-Claude Kaufmann, auteur du livre *Burkini. Autopsie d'un fait divers*, interview Soir 3, 5 juillet 2017, http://www.francetvinfo.fr/societe/religion/laicite/polemique-sur-le-burkini/ ; Frantz Durupt, « Le tribunal administratif de Bastia valide l'arrêté "anti-burkini" de Sisco », *Libération*, 6 septembre 2016, http://www.liberation.fr/burkini-polemique, 100641
100. Julien Vlassenbroek, avec Franceline Beretti, « Femme en bikini agressée à Reims : analyse d'un emballement sur la Toile », 28 juillet 2015, *rtbf info*, https://www.rtbf.be/info/medias/detail_femme-en-bikini-agressee-a-reims-analyse-d-un-emballement-sur-la-toile?id=9042079
101. *Ibid.*
102. « Algérie : la révolte du bikini s'étend », *LCI*, 3 août 2017 ; le sous-titre est encore plus suggestif : « ITSY BITSY – Depuis la fête nationale algérienne, le 5 juillet dernier, des femmes organisent des sorties à la plage dans le nord du pays… en bikini. Un moyen pour elle de lutter, groupées, contre le harcèlement et la pression religieuse. »

« Itsy Bitsy » fait référence à la chanson de Dalida « Sur une plage il y avait une belle fille/ Qui avait peur d'aller prendre son bain/ Elle craignait de quitter sa cabine/ Elle tremblait de montrer au voisin/ Un deux trois elle tremblait de montrer quoi ?/ Son petit itsi bitsi tini ouini, tout petit, petit, bikini ». Voir aussi : Claire Tervé et Sandra Lorenzo, « Y-a-t'il eu vraiment une révolte du bikini en Algérie ? », 7 août 2017, *Huffingtonpost*, https://www.huffingtonpost.fr/2017/08/07/pour-lutter-contre-lislamisme-des-milliers-dalgeriennes-font_a_23068272/ ; Viviane Forson, « Algérie : les secrets d'une campagne pro-bikini », *Le Point Afrique*, 27 juillet 2017, http://afrique.lepoint.fr/actualites/algerie-les-secrets-d-une-campagne-pro-bikini-27-07-2017-2146299_2365.php ; H.B., « Algérie : une "opération bikini" a t'elle été organisée sur une plage de Kabylie ? », 8 août 2017, *20 minutes*, https://www.20minutes.fr/monde/2114367-20170807-algerie-operation-bikini-organisee-plage-kabylie ; « Nouvelle opération "bikini" en Algérie », 7 août 2017, BFMTV, https://www.bfmtv.com/international/algerie-nouvelle-operation-bikini-pour-resister-a-la-pression-religieuse-1231540.html ; « Qu'est-ce que "la révolte du bikini" en Algérie ? », 7 août 2017, BMFTV, https://www.youtube.com/watch?v=Isap-PrTzHfY&feature=youtu.be.
103. Amélie James, « Algérie : qu'est-ce que la "révolte du bikini", mouvement citoyen et spontané », *RTL*, 8 août 2017.
104. *Ibid.*
105. *Ibid.*
106. Zohra Ziani, « Polémique sur le bikini en Algérie : des femmes veulent tourner la page » *Libération*, 13 août 2107. Voir aussi : http://www.leparisien.fr/societe/en-algerie-ces-femmes-se-battent-pour-porter-le-bikini-03-08-2017-7172766.php ; et Lina Kennouche, « La révolution du bikini : de la grandeur à la misère du féminisme en Algérie », 31/ juillet 2017, *Al-Akhbar.com*, http://le-blog-sam-la-touch.over-blog.com/2017/07/la-revolution-du-bikini-de-la-grandeur-a-la-misere-du-feminisme-en-algerie-al-akhbar-com.html.
107. *Ibid.*
108. Ayant posté ces photos sur sa page personnelle, qui porte son nom, elle a renoncé à l'anonymat.
109. « Strasbourg : la justice saisie contre une femme qui critique les musulmanes voilées sur Facebook », Céline Rousseau et Marc-Olivier Fogiel, *France Bleu*, 24 août 2017, https://www.francebleu.fr/infos/faits-divers-justice/une-plainte-deposee-strasbourg-contre-une-femme-qui-critique-sur-facebook-les-musulmanes-voilees-1503594733, consulté le 23/08/2017. Le Collectif contre l'islamophobie en France a porté plainte contre Julia Zborovska.
110. *Ibid.*
111. Audre Lorde, « De l'usage de la colère », art. cit., p. 2.

112. Céline Pina, « L'État doit dénoncer clairement l'association Lallab, laboratoire de l'islamisme », *Le Figaro*, 23 août 2017 ; Pina est fondatrice du mouvement Vi(r)e la République, un « mouvement citoyen laïque et républicain appelant à lutter contre tous les totalitarismes et pour la promotion de l'indispensable universalité de nos valeurs républicaines ».

113. « Stop au cyber-harcèlement contre l'association Lallab », Collectif, *Libération*, 23 août 2017, https://www.liberation.fr/debats/2017/08/23/stop-au-cyberharcelement-is-lamophobe-contre-l-association-lallab_1591443

114. La spécificité des stigmatisations affectant les femmes musulmanes continue à être étudiée. Voir entre autres : Nacira Guénif, *Des beurettes aux descendantes d'immigrants nord-africains*, Paris, Grasset, coll. « Partage du savoir », 1999 ; et, avec Éric Macé, *Les Féministes et le garçon arabe*, La Tour d'Aigus, Éditions de l'Aube, coll. « Monde en cours/Intervention », 2004 ; Asma Lamrabet, Casablanca, En toutes lettres, *Islam et Femmes, les questions qui fâchent*, 2017 ; Zahra Ali, *Féminismes islamiques*, Paris, La fabrique, 2012, qui a déclaré vouloir offrir « un panorama des féminismes islamiques, en rupture avec l'orientalisme et le racisme qui caractérisent les débats sur les femmes et l'islam aujourd'hui », répondant à « la nécessité de décoloniser et désessentialiser toute lecture du féminisme et de l'islam » ; et les rapports du CCIF.

115. « The world's first gender-neutral store just opened in Manhattan. Phluid Project wants to be a safe space- for clothes shopping », Mikelle Street, *Vice*, 22 mars 2018, https://i-d.vice.com/en_us/article/7xdvxy/phluid-project-gender-neutral-store-new-york.

116. « Empower individuals to be themselves. To express themselves openly, without judgement or fear », https://www.thephluidproject.com/about

117. Louise Toupin, *Le salaire au travail ménager. Chronique d'une lutte féministe internationale (1972-1977)*, Montréal, Éditions du remue-ménage, 2014.

118. Christine Delphy, « Par où attaquer le "partage inégal" du "travail ménager" ? », *Nouvelles Questions féministes*, vol. 22, n° 3, 2003, pp. 47-71, p. 47.

119. Voir : Louise Toupin, *op. cit.* ; Mariarosa Dalla Costa et Selma James, *The Power of Women and the Subversion of the Community*, Édimbourg, Falling Wall Press, 1975 ; Silvia Federici, *Caliban et la sorcière. Femmes, corps et accumulation primitive*, Éditions Senonevero/Éditions Entremonde, 2014 ; Mariarosa Dalla Costa et Selma James, *Pouvoir des femmes et subversion sociale*, intervention traduite en français sur http://michelpeyret.canalblog.com/archives/2018/01/16/36052085.html de Roswitha Scholz, auteure de *Le sexe du capitalisme*, sur http://michelpeyret.canalblog.com/

archives/2018/01/16/36052085. html

120. Louise Toupin, *op. cit.*, p. 311.

121. Dans *Le foyer de l'insurrection, Textes pour le salaire sur le travail ménager*, édité par le collectif féministe l'Insoumise de Genève, 1977.

122. Françoise Ega, *Lettres à une Noire. Récit antillais*, Paris, L'Harmattan, 2000, p. 137.

123. chakaZ, « The Loss of the Body : A Response to Marx's incomplete analysis of estranged Labor », 24 mai 2011, https://chaka85.wordpress. com/2011/05/24/the-loss-of-the-body-a-marxist-feminist-response-to-estranged-labor/

124. David Graeber, « Il faut réimaginer la classe ouvrière » Interview par Jospeh Confavreux et Jade Lindgaard, *Médiapart*, 16 avril 2018.

125. *Ibid.*

126. *Ibid.*

127. « Portrait de Fernande Bagou. Nous étions des mains invisibles », par Maya Mihindou, *Ballast*, 2018, https://www. revue-ballast.fr/nous-etions-des-mains-invisibles/

128. *Ibid.*

129. « From Mozambique to Mexico, Domestic Workers are Fighting for their Rights- and Telling their Stories », 19 juin 2018, http://www.wiego.org/ blog/mozambique-mexico-domestic-workers-are-fighting-their-rights-%E2%80%94-and-telling-their-stories

130. En 2016, selon la société Onet, « 124 maladies professionnelles sont encore à déplorer (soit 17 de plus qu'en 2015) générant 7 092 jours d'arrêts de travail. Elles sont liées à des troubles musculo-squelettiques, première cause des maladies professionnelles dans le secteur de la propreté ».

131. Voir les études du Centre international de recherche sur le cancer et du Bureau européen des unions de consommateurs : « Des études ont mis en évidence un lien entre une apparition ou l'aggravation de l'asthme et l'utilisation de l'ammoniac, de l'eau de javel, et de produits de nettoyage notamment en sprays », note Nicole Le Moual, épidémiologiste à l'Inserm, spécialiste de la santé respiratoire et environnementale. Nolwenn Weiler, « Femmes de ménage : un métier à hauts risques toxiques oublié par l'écologie », 4 mars 2014, *Bastamag*, https:// www.bastamag.net/Menace-chimique-pour-les-salarie-e

132. Jean-Michel Denis, « Dans le nettoyage, on ne fait pas du syndicalisme comme chez Renault », *Politix*, 2009, 1, n° 85, pp. 105-126.

133. Synthèse de l'Observatoire de la propreté, juin 2014, http:// obsproprete.fr/pdf/E_HF_2014. pdf

134. Le Monde de la propreté, *Chiffres clés et actions prioritaires, Propreté et services associés*, édition 2018, pp. 4, 8, 9 ; https:// monde-proprete.com/taxonomy/ term/778

135. Plus récemment, Onet a renforcé son profil européen en

1999 en se joignant à Gegen-bauerbosse Allemagne et à OCS du Royaume-Uni pour former Euroliance. Grâce à cette opération, ces compagnies contrôlent 10 % des services de nettoyage du marché européen.

136. Chiffres fournis par Onet, https://fr.groupeonet.com/

137. « Propreté et services », https://fr.groupeonet.com/Nos-metiers/Proprete-et-Services

138. « Life Is Beautiful », Onet, 20 janvier 2016, https://www.youtube.com/watch?v=pSbLU-Vvn2lU

139. « Madame Gueffar, ancienne salariée d'Onet » (témoignage), *Fakirpresse*, 29 mars 2016, https://www.youtube.com/watch?v=W4kDpM1xvmA

140. http://www.krishnapriyadesign.com/

141. Arturo Escobar, *Sentir-Penser avec la Terre. L'écologie au-delà de l'Occident*, Paris, Le Seuil, 2018, traduit par le collectif L'Atelier La Minga, p. 180.

142. Extrait du « Manifeste de L'Atelier IV », performance, commissaire Françoise Vergès, Paris, La Colonie, 12 juin 2017.

Ian H. Birchall, *Sartre et l'extrême gauche française. Cinquante ans de relations tumultueuses.*

Auguste Blanqui, *Maintenant, il faut des armes.* Textes présentés par Dominique Le Nuz.

Félix Boggio Éwangé-Épée & Stella Magliani-Belkacem, *Les féministes blanches et l'empire.*

Bruno Bosteels, *Alain Badiou, une trajectoire polémique.*

Houria Bouteldja, *Les Blancs, les Juifs et nous. Vers une politique de l'amour révolutionnaire.*

Alain Brossat, *Pour en finir avec la prison.*

Philippe Buonarroti, *Conspiration pour l'égalité dite de Babeuf.* Présentation de Sabrina Berkane.

Pilar Calveiro, *Pouvoir et disparition. Les camps de concentration en Argentine.*

Laurent Cauwet, *La domestication de l'art. Politique et mécénat.*

Grégoire Chamayou, *Les chasses à l'homme.*

Grégoire Chamayou, *Théorie du drone.*

Grégoire Chamayou, *La société ingouvernble. Une généalogie du libéralisme autoritaire.*

Louis Chevalier, *Montmartre du plaisir et du crime.* Préface d'Eric Hazan.

Ismahane Chouder, Malika Latrèche, Pierre Tevanian, *Les filles voilées parlent.*

George Ciccariello-Maher, *La révolution au Venezuela. Une histoire populaire.*

Cimade, *Votre voisin n'a pas de papiers. Paroles d'étrangers.*

Comité invisible, *À nos amis.*

Comité invisible, *L'insurrection qui vient.*

Comité invisible, *Maintenant.*

Angela Davis, *Une lutte sans trêve.* Textes réunis par Frank Barat.

Joseph Déjacque, *À bas les chefs! Écrits libertaires.* Présenté par Thomas Bouchet.

Christine Delphy, *Classer, dominer. Qui sont les « autres » ?*

Alain Deneault, *Offshore. Paradis fiscaux et souveraineté criminelle.*

Raymond Depardon, *Images politiques.*

Raymond Depardon *Le désert, allers et retours.* Propos recueillis par Eric Hazan.

Yann Diener, *On agite un enfant. L'État, les psychothérapeutes et les psychotropes.*

Cédric Durand (coord.), *En finir avec l'Europe.*

Dominique Eddé, *Edward Said, le roman de sa pensée*

Éric Fassin, Carine Fouteau, Serge Guichard, Aurélie Windels, *Roms & riverains. Une politique municipale de la race.*

Jean-Pierre Faye, Michèle Cohen-Halimi, *L'histoire cachée du nihilisme. Jacobi, Dostoïevski, Heidegger, Nietzsche.*

Norman G. Finkelstein, *L'industrie de l'holocauste. Réflexions sur l'exploitation de la souffrance des Juifs.*

Joëlle Fontaine, *De la résistance à la guerre civile en Grèce. 1941-1946.*

Charles Fourier, *Vers une enfance majeure.* Textes présentés par René Schérer.

Isabelle Garo, *L'idéologie ou la pensée embarquée.*

Gabriel Gauny, *Le philosophe plébéien.* Textes rassemblés et présentés par Jacques Rancière.

Antonio Gramsci, *Guerre de mouvement et guerre de position.* Textes choisis et présentés par Razmig Keucheyan.

Christophe Granger, *La destruction de l'université française.*

Daniel Guérin, *Autobiographie de jeunesse. D'une dissidence sexuelle au socialisme.*

Chris Harman, *La révolution allemande 1918-1923*

Amira Hass, *Boire la mer à Gaza, chroniques 1993-1996.*

Eric Hazan, *Chronique de la guerre civile.*

Eric Hazan, *Notes sur l'occupation. Naplouse, Kalkilyia, Hébron.*

Eric Hazan, *Paris sous tension.*

Eric Hazan, *Une histoire de la Révolution française.*

Eric Hazan & Eyal Sivan, *Un État commun. Entre le Jourdain et la mer.*

Eric Hazan & Kamo, *Premières mesures révolutionnaires.*

Eric Hazan, *La dynamique de la révolte. Sur des insurrections passées et d'autres à venir.*

Eric Hazan, *Pour aboutir à un livre.* Entretiens avec Ernest Moret.

Eric Hazan, *À travers les lignes. Textes politiques.*

Eric Hazan, *Balzac, Paris.*

Henri Heine, *Lutèce. Lettres sur la vie politique, artistique et sociale de la France.* Présentation de Patricia Baudoin.

Hongsheng Jiang, *La Commune de Shanghai et la Commune de Paris.*

Victor Hugo, *Histoire d'un crime.* Préface de Jean-Marc Hovasse, notes et notice de Guy Rosa.

Sadri Khiari, *La contre-révolution coloniale en France. De de Gaulle à Sarkozy.*

Stathis Kouvélakis, *Philosophie et révolution. De Kant à Marx.*

Georges Labica, *Robespierre. Une politique de la philosophie.* Préface de Thierry Labica.

Yitzhak Laor, *Le nouveau philosémitisme européen et le « camp de la paix » en Israël.*

Henri Lefebvre, *La proclamation de la Commune. 26 mars 1871.*

Lénine, *L'État et la révolution.*

Mathieu Léonard, *L'émancipation des travailleurs. Une histoire de la Première Internationale.*

Gideon Levy, *Gaza. Articles pour Haaretz, 2006-2009*.

Laurent Lévy, « *La gauche* », *les Noirs et les Arabes*.

Frédéric Lordon, *Capitalisme, désir et servitude. Marx et Spinoza*.

Frédéric Lordon, *Imperium. Structures et affects des corps politiques*.

Herbert R. Lottman, *La chute de Paris, 14 juin 1940*.

Pierre Macherey, *De Canguilhem à Foucault. La force des normes*.

Pierre Macherey, *La parole universitaire*.

Gilles Magniont & Yann Fastier, *Avec la langue. Chroniques du « Matricule des anges »*.

Andreas Malm, *L'anthropocène contre l'histoire. Le réchauffement climatique à l'ère du capital*.

Karl Marx, *Sur la question juive*. Présenté par Daniel Bensaïd.

Karl Marx & Friedrich Engels, *Inventer l'inconnu. Textes et correspondance autour de la Commune*. Précédé de « Politique de Marx » par Daniel Bensaïd.

Albert Mathiez, *La réaction thermidorienne*. Présentation de Yannick Bosc et Florence Gauthier.

Louis Ménard, *Prologue d'une révolution (fév.-juin 1848)*. Présenté par Maurizio Gribaudi.

Jean-Yves Mollier, *Une autre histoire de l'édition française*.

Elfriede Müller & Alexander Ruoff, *Le polar français. Crime et histoire*.

Alain Naze, *Manifeste contre la normalisation gay*.

Dolf Oehler, *Juin 1848, le spleen contre l'oubli. Baudelaire, Flaubert, Heine, Herzen, Marx*.

Ilan Pappé, *La guerre de 1948 en Palestine. Aux origines du conflit israélo-arabe*.

François Pardigon, *Épisodes des journées de juin 1848*.

Nathalie Quintane, *Les années 10*.

Nathalie Quintane, *Ultra-Proust. Une lecture de Proust, Baudelaire, Nerval*.

Alexander Rabinowitch, *Les bolcheviks prennent le pouvoir. La révolution de 1917 à Petrograd*.

Jacques Rancière, *Le partage du sensible. Esthétique et politique*.

Jacques Rancière, *Le destin des images*.

Jacques Rancière, *La haine de la démocratie*.

Jacques Rancière, *Le spectateur émancipé*.

Jacques Rancière, *Moments politiques. Interventions 1977-2009*.

Jacques Rancière, *Les écarts du cinéma*.

Jacques Rancière, *La leçon d'Althusser*.

Jacques Rancière, *Le fil perdu. Essais sur la fiction moderne*.

Jacques Rancière, *En quel temps vivons-nous ? Conversation avec Eric hazan.*

Jacques Rancière, *Les temps modernes. Art, temps, politique.*

Textes rassemblés par J. Rancière & A. Faure, *La parole ouvrière 1830-1851.*

Amnon Raz-Krakotzkin, *Exil et souveraineté. Judaïsme, sionisme et pensée binationale.*

Tanya Reinhart, *Détruire la Palestine, ou comment terminer la guerre de 1948.*

Tanya Reinhart, *L'héritage de Sharon. Détruire la Palestine, suite.*

Mathieu Rigouste, *La domination policière. Une violence industrielle.*

Robespierre, *Pour le bonheur et pour la liberté. Discours choisis.*

Kristin Ross, *L'imaginaire de la Commune.*

Julie Roux, *Inévitablement (après l'école).*

Christian Ruby, *L'interruption. Jacques Rancière et le politique.*

Alain Rustenholz, *De la banlieue rouge au Grand Paris. D'Ivry à Clichy et de Saint-Ouen à Charenton.*

Gilles Sainati & Ulrich Schalchli, *La décadence sécuritaire.*

Julien Salingue, *La Palestine des ONG. Entre résistance et collaboration.*

Thierry Schaffauser, *Les luttes des putes.*

André Schiffrin, *L'édition sans éditeurs.*

André Schiffrin, *Le contrôle de la parole. L'édition sans éditeurs, suite.*

André Schiffrin, *L'argent et les mots.*

Ivan Segré, *Judaïsme et révolution.*

Ivan Segré, *Le manteau de Spinoza. Pour une éthique hors la Loi.*

Ella Shohat, *Le sionisme du point de vue de ses victimes juives. Les juifs orientaux en Israël.*

Eyal Sivan & Armelle Laborie, *Un boycott légitime. Pour le BDS universitaire et culturel d'Israël.*

Jean Stern, *Les patrons de la presse nationale. Tous mauvais.*

Marcello Tarì, *Autonomie ! Italie, les années 1970.*

N'gugi wa Thiong'o, *Décoloniser l'esprit.*

E.P. Thompson, *Temps, discipline du travail et capitalisme industriel.*

Tiqqun, *Théorie du Bloom.*

Tiqqun, *Contributions à la guerre en cours.*

Tiqqun, *Tout a failli, vive le communisme !*

Alberto Toscano, *Le fanatisme. Modes d'emploi.*

Enzo Traverso, *La violence nazie, une généalogie européenne.*

Enzo Traverso, *Le passé : modes d'emploi. Histoire, mémoire, politique.*

Louis-René Villermé,
*La mortalité dans les divers
quartiers de Paris.*

Sophie Wahnich,
*La liberté ou la mort.
Essai sur la Terreur et le terrorisme.*

Michel Warschawski (dir.),
*La révolution sioniste est morte.
Voix israéliennes contre l'occupation,
1967-2007.*

Michel Warschawski,
*Programmer le désastre.
La politique israélienne à l'œuvre.*

Eyal Weizman,
*À travers les murs. L'architecture
de la nouvelle guerre urbaine.*

Slavoj Žižek, *Mao. De la pratique
et de la contradiction.*

Collectif, *Contre l'arbitraire du
pouvoir. 12 propositions.*

Collectif,
Le livre : que faire ?

Cet ouvrage a été achevé d'imprimer
par l'Imprimerie Floch à Mayenne
en août 2021.
Numéro d'impression : 98760.
Dépôt légal : février 2019.
Imprimé en France.